AUTOCURA I

Proposta de um Mestre Tibetano

Venerável Lama Gangchen Tulku Rimpoche

AUTOCURA I

Proposta de um Mestre Tibetano

© Lama Gangchen Peace Publications, 2000

1ª EDIÇÃO EDITORA SHERAB, 1991
2ª EDIÇÃO EDITORA GAIA, 2001
3ª EDIÇÃO EDITORA GAIA, 2002

Diretor Editorial
JEFFERSON L. ALVES

Diretor de Marketing
RICHARD A. ALVES

Gerente de Produção
FLÁVIO SAMUEL

Assistente Editorial
ROSALINA SIQUEIRA

Capa e vinhetas do miolo
RICARDO BADDOUH

Revisão
CÉLIA REGINA DO N. CAMARGO
IRACI MIYUKI KISHI

Editoração Eletrônica
ANTONIO SILVIO LOPES

Dados Internacionais de Catalogação na Publicação (CIP)
(Câmara Brasileira do Livro, SP, Brasil)

Gangchen Tulku, Rimpoche, 1941-
  Autocura I : proposta de um mestre tibetano / venerável Lama Gangchen Tulku Rimpoche. – 3. ed. – São Paulo : Gaia, 2002.

  ISBN 85-85351-85-3

  1. Autocuidados de saúde 2. Budismo – Tibete 3. Cura pelo espírito 4. Lamas I. Título.

00-5379   CDD-294.3923

Índice para catálogo sistemático:

1. Autocura : Budismo tibetano : Religião 294.3923

Direitos Reservados

EDITORA GAIA LTDA.
(uma divisão da Global Editora
e Distribuidora Ltda.)
Rua Pirapitingüi, 111-A – Liberdade
CEP 01508-020 – São Paulo – SP
Tel.: (11) 3277-7999 – Fax: (11) 3277-8141
E.mail: gaia@dialdata.com.br

Colabore com a produção científica e cultural.
Proibida a reprodução total ou parcial desta obra
sem a autorização do editor.

Nº DE CATÁLOGO: **2187**

*Possam todos os seres sencientes
ter felicidade e sua causa.
Possam todos os seres sencientes
ser livres do sofrimento e de sua causa.
Possam todos os seres sencientes jamais se separar
da felicidade que não conhece o sofrimento.
Possam todos os seres sencientes viver no estado
de equilíbrio contínuo, livres dos extremos
da atração por uns e da aversão por outros.*

OS QUATRO PENSAMENTOS ILIMITADOS

Tibetano
Semchen tamchen dewa dang dewai gyu dang denpar gyur chik
Semchen tamchen dungal dang dungal gyi gyu dang drelwar gyur chik
Semchen tamchen dungal mepai dewa dang mi drelwar gyur chik
Semchen tamchen nyering chak dang drelwai tang nyom la ne par gyur chik

Inglês
May all beings have happiness and its cause.
May all beings be free from suffering and its cause.
May all beings never be separated from the great happiness
   that is beyond all misery.
May all beings dwell in equanimity, free from the extremes
   of attachment to dear ones and aversion to others.

Italiano
Possano tutti gli esseri senzienti avere la felicità e le sue cause.
Possano tutti gli esseri senzienti essere liberi dalla sofferenza e dalle sue cause.
Possano tutti gli esseri senzienti essere inseparabili dall'estasi priva di dolore.
Possano tutti gli esseri senzienti dimorare nell'equanimità
   liberi da pregiudizi, avidità e odio.

Francês
Puissent tous les êtres obtenir le bonheur et sa cause.
Puissent tous les êtres être libérés de la souffrance et de sa cause.
Puissent tous les êtres ne jamais s'écarter du bonheur
   qui dépasse toute misère.
Puissent tous les êtres demeurer dans l'équanimité inaffectés
   par l'attraction pour le proche et l'aversion pour l'hostile.

Alemão
Mögen alle Wesen Glück erfahren und die Ursachen von Glück.
Mögen alle Wesen frei sein von Leid und den Ursachen von Leid.
Mögen alle Wesen niemals getrennt sein von großer Freude,
 die jenseits allen Leidens liegt.
Mögen alle Wesen in Gleichmut verweilen, unbeeinflußt
 von Anziehung an Nahestehende und Abneigung gegen andere.

Português
Possam todos os seres sencientes ter felicidade e sua causa.
Possam todos os seres sencientes ser livres do sofrimento e de sua causa.
Possam todos os seres sencientes jamais se separar
 da felicidade que não conhece o sofrimento.
Possam todos os seres sencientes viver no estado de equilíbrio contínuo,
 livres dos extremos da atração por uns e da aversão por outros.

Espanhol
Puedan todos los seres sintientes tener la felicidad et sus causas.
Puedan todos los seres sintientes seres liberarse del sufrimiento y de sus causas.
Puedan todos los seres sintientes ningún ser separarse nunca
 de la Felicidad que non tiene sufrimiento.
Puedan todos los seres sintientes vivir en Ecuanimidad,
 libres de la atracción a los queridos y de la aversión a los demás.

Holandês
Mogen alle wezens geluk vinden en de oorzaken.
Mogen alle wezens gescheiden worden van lijden en de oorzaken.
Mogen alle wezens het geluk vinden dat voordij het lijden is.
Mogen alle wezens in gelijkmoedigheid verkeren,
 zonder gehechtheid aan naasten en afkeer van vreemden.

Grego
Ειθε ολα τα οντα να εχουν ευτυχια και τιζ αιτιεζ τηζ ευτυχιαζ.
Ειθε ολα τα οντα να ειναι ελευθερα απο θλιψη και τιζ αιτιεζ τηζ
 θλιψηζ.
Ειθε ολα τα οντα να μην χωριστουν ποτε απο την
 Ευτυχια που ειναι χωριζ δυστυχια.
Ειθε ολα τα οντα να κατοικουν μεσα στην Αταραξια ελευθερα
 απο ελξη στουζ αγαπημενουζ και απωθηση απο τουζ αλλουζ.

Catalão
Puguin tots els éssers gaudir de la felicitat i de les causes de la felicitat.
Puguin alliberar-se del sofriment i de les causes del sofriment.
Que cap ésser es separi mai de la Gran Felicitat que no té sofriment.
Puguin tots els éssers romandre en la Gran Equanimitat,
 lliures d'atracció o aversió envers els altres.

SUMÁRIO

Prólogo 11

Lama Gangchen Tulku Rimpoche

o Lama Curador 13

Introdução da Versão em Inglês 33

Introdução à Segunda Edição 35

Prefácio da Edição Original 37

Os Cinco Pensamentos Ilimitados 39

A Autocura no Budismo Tibetano 44

Maitreya, o Buddha do Amor Universal
Presente e Futuro 70

Cura Espiritual 73

Conhecendo Lama Gangchen 78

Depoimentos 81

Reza de Longa Vida para Lama Gangchen
Tulku Rimpoche Shabten Motsig Tchime Trishing 89

A Hera do Néctar da Imortalidade 91

Fotos 96

Certificados 105

Grupos de Estudo e Centros de Autocura
e Paz Interior de Lama Gangchen 125

PRÓLOGO

*T*ibete, o teto do mundo de infinito silêncio... onde a terra sobe até o céu em busca de sua inefável pureza. Adornado por uma nua beleza mineral, transparente como um cristal, a natureza explode surpreendentemente numa rica variedade de flora medicinal.

Suspenso no espaço, desafiando o tempo, este país foi durante séculos a morada de um místico que deu origem a sábias e sagradas linhagens. Nesses vales remotos o homem aprendeu a subir acima de si mesmo e a desvelar os mistérios do universo.

Traços deixados por aqueles que dedicaram a vida à devoção, à sabedoria e à compaixão permearam o Tibete. Eles podiam ser vistos em milhares de monastérios e cavernas de meditação. A riqueza dos instrumentos que os capacitavam a alinhavar o caminho para a realização espiritual deu origem a um tesouro de expressões artísticas diversificadas que se misturaram intimamente à vida diária deles.

Emergindo do sopé do Monte Kailash, erguido por uma invasão inesperada, um oceano de sabedoria correu de um isolamento para uma terra com um mundo material altamente sofisticado.

Atingindo as praias do ocidente, esses incansáveis seres dedicadamente continuaram sua tarefa de propagar a não-violência e o vasto conhecimento dos Sutras e Tantras, permitindo-lhes criar raízes em novas terras adotadas.

Essa era a única chance de manter esse único legado espiritual vivo.

Este texto é uma homenagem à cultura tibetana, suas ciências espirituais, e àqueles que são uma manifestação viva dessa herança.

Pela primeira vez no Ocidente existe uma tentativa de expandir essa prática médica especial, passada de mestre para discípulo por muitas gerações.

A prática médica usada com total domínio por T. Y. S. Lama Gangchen Tulku Rimpoche, o Lama Curador.

LAMA GANGCHEN TULKU RIMPOCHE
O LAMA CURADOR

Estamos em 1938 e Kachen Sapen-La acaba de deixar o seu corpo. Ele é o descendente espiritual de uma longa linhagem de Lamas Curadores, cuja retrospectiva chega até Panchen Zangpo Tashi, discípulo do primeiro Dalai-Lama do Tibete, reconhecido como a reencarnação do último representante dessa linhagem, que também se tornou um Lama Curador.

De acordo com a tradição tibetana seu corpo foi cremado. Durante três dias realizaram-se os rituais, enquanto, lentamente, o corpo se consumia. Quando o fogo finalmente se extinguiu, as cinzas, que previamente já tinham sido consideradas preciosas relíquias, foram respeitosamente recuperadas. Em meio a elas, os olhos, a língua e o coração foram encontrados intactos. No pódio de concreto, especialmente construído para a ocasião, descobriu-se uma nítida marca dos pés, na direção do oeste, apontando para o Monastério de Lama Gangchen.

1940 Dois anos mais tarde, tendo consultado Trijang Rimpoche, o tutor júnior de S. S. O Dalai-Lama, dois discípulos de Kachen Sapen-La decidiram procurar a nova encarnação de seu mestre. Começaram as investigações nas vizinhanças do Monastério de Gangchen, em busca de uma criança nascida recentemente que apresentasse qualidades excepcionais. No vilarejo de Netra Ging, ouviram dizer que uma criança havia nascido no aniversário de Panchen Zangpo Tashi. Voltaram a Lhasa e contaram a Trijang Rimpoche a sua descoberta. E atendendo ao seu conselho, a criança foi testada em várias ocasiões, como é estabelecido pela tradição tibetana. Sem nenhuma hesitação o menino reconheceu os objetos que pertenceram a Kachen Sapen-La, postos à sua frente, misturados com muitos outros. O entronamento foi então realizado, quando Ele foi publicamente reconhecido como a reencarnação de Kachen Sapen-La.

1944 Ele não havia completado 5 anos quando uma delegação oficial veio para levá-lo até o seu monastério. A partir de então ocupou o assento que lhe pertencia, quando era o mestre espiritual do lugar, tornando-se Gangchen Tulku (Gangchen significa Himalaia e Tulku, reencarnação).

1952 Aos 12 anos recebeu o título de Kachen, um diploma geralmente conferido após vinte anos de estudo.

1954 Ele tinha apenas 13 anos quando sua mãe e seu tutor morreram. E nesse mesmo ano o jovem Tulku machucou seriamente a perna, cuja recuperação foi lenta e dolorosa.

Durante esse período estudou anatomia, fisiologia, a composição e a interação entre várias substâncias médicas e a forma de administrá-las, sob a direção de seu professor Kachen Pemba-La. Foi também iniciado em muitos rituais e mandalas de proteção. Em resumo, estudou todas as disciplinas exigidas dentro do currículo médico tibetano.

1955 Ele tinha 14 anos quando fez seu primeiro retiro para meditar em Yamantaka, uma prática do mais alto nível do Tantra. O ritual de iniciação, que lhe conferiu a faculdade para realizar essa prática, foi conferido por Ngulchu Rimpoche, o mestre espiritual de Sua Santidade o Panchen Lama.

1956 Foi enviado para o Monastério Tashi Lumpo, onde um Kachen ou mestre de filosofia lhe ensinou filosofia e dialética. No Tibete a arte do debate filosófico é uma disciplina muito importante.

Sua Santidade o Dalai-Lama e seus tutores Ling Rimpoche e Trijang Rimpoche fizeram a finalização de seu treinamento como Lama.

Em Sera Me, uma outra universidade monástica, Sua Santidade o Panchen Lama conferiu-lhe a iniciação de Kalachakra – A Roda do Tempo –, bem como muitas outras iniciações. Mais tarde recebeu os comentários dos mais secretos e elevados Tantras – Maha-Anuttara-Yoga Tantra.

1959 Em 10 de março o Tibete foi definitivamente ocupado pelos chineses.

1960 Lama Gangchen foi obrigado a estudar agricultura em uma escola chinesa e, seis meses depois, foi enviado para sua cidade natal para trabalhar em uma fazenda como agricultor. Contudo, continuou a curar as pessoas, o que resultou na sua prisão. Foi preso e confinado a trabalhos forçados por dois anos. Uma vez libertado voltou à sua cidade e recomeçou seu trabalho. Sua reputação se espalhou e os chineses renovaram suas ameaças. Ficou seriamente doente e foi aconselhado a deixar o Tibete.

1963 O exílio: com alguns membros de sua família conseguiu escapar e entrar na Índia pelo Sikkim, onde superou muitas dificuldades. Foi admitido na Escola Superior de Estudos Tibetanos, em Varanasi, onde viveu durante sete anos. Nesse período visitou muitos lugares sagrados budistas de peregrinação, no Nepal e na Índia. Morou com S. S. Kyabje Zong Rimpoche, com quem continuou seus estudos nos Tantras e métodos secretos de cura. Ao mesmo tempo deu apoio pessoal à sua comunidade, ajudando a resolver problemas de agricultura e muitos outros problemas advindos do fato de viverem no exílio.

1970 Após ter terminado seus estudos na Universidade de Sera Me no sul da Índia, Lama Gangchen recebeu o diploma de Gueshe Rigram, o mais alto título concedido. Foi então ao Nepal, onde, em campos tibetanos, transmitiu iniciações relacionadas às práticas de cura. Deu também extensos ensinamentos a muitos discípulos. Sua fama de curar alcançou o Sikkim, cujo rei mandou chamá-lo para curar sua mãe, que sofria de uma doença nos olhos declarada incurável pelos médicos. Após curá-la, o rei concedeu a Lama Gangchen todas as marcas de gratidão e fé nos ensinamentos e na terapia oferecidos tanto à sua família como ao seu povo.

1981 Lama Gangchen foi convidado para ir ao Nepal por uma família que o havia financiado em sua encarnação anterior. Seus benfeitores ofereceram-Lhe um "Puja de Longa Vida". Durante uma longa e complexa cerimônia, os protetores são invocados e muitas preces e súplicas são feitas pedindo uma longa vida a Lama Gangchen, capacitando-o a dar mais ensinamentos e a cuidar de todos os seres.

1982 Lama Gangchen foi convidado, pela primeira vez, a ir ao Ocidente visitar o Centro de Retiros Karuna na Ilha de Lesbos, na Grécia, onde uma árvore pipal foi plantada pela primeira vez na Europa, em comemoração à árvore pipal sob a qual Buddha Shakyamuni atingiu a iluminação. Durante sua estada na Europa, que durou um mês, esteve na Suíça e na Alemanha, tratando de muitos pacientes antes de voltar para o Nepal.

1983 Fez uma segunda viagem à Europa que durou vários meses.

1985 Em 8 de agosto, voltou pela terceira vez à Europa e estabeleceu residência em Gubbio, na Itália, onde, com muito sucesso, continuou sua vocação de cura. A pedido do Instituto de Estudos Budistas

Lama Tsong Khapa, Lama Gangchen conduziu um ciclo de ensinamentos por cinco meses, durante os quais fez conferências e deu iniciações em Livorno, Piza, Florença, Bolonha, Turim e Milão.

1987 Como um Lama Curador, foi convidado a visitar diferentes centros, incluindo alguns dedicados ao mestre indiano Babaji (Haidakhan Baba). Pela primeira vez desde seu exílio, Lama Gangchen retornou à sua terra natal, entrando como turista, na companhia de alguns discípulos italianos, brasileiros e suíços. Com imensa alegria encontrou mais uma vez Sua Santidade o Panchen Lama e visitou lugares sagrados em Lhasa, Sera, Ganden, Drepung e Tashi Lumpo, onde financiou a tradicional cerimônia Rame Tchemo e a iniciação do Buddha da Longa Vida, realizada por Sua Santidade o Panchen Lama, assistida por mais de 50 mil pessoas. Lama Gangchen, voltou ao Monastério de Gangchen, onde uma multidão lhe deu as boas-vindas com grande emoção, depois de 25 anos de ausência. Lá, financiou parte da reconstrução do edifício principal, que havia sido destruído pelos chineses. Diante de um grupo de mais de 5 mil pessoas, realizou muitas iniciações, pujas do fogo e fez uma cerimônia de bênção especial para a nova sala de meditação.

No lugar da estátua principal de Palden Lhamo, que foi destruída pelos chineses, foi entregue a Lama Gangchen uma estátua original, secretamente salva e conservada como relíquia por alguns discípulos, que esperavam sua volta.

Na vizinhança do monastério há um lugar de retiro chamado Kachos Drupkhang, onde muitas encarnações de Lama Gangchen tradicionalmente meditaram. Quando Ele chegou ali, onde por anos o solo havia sido árido, fontes de água surgiram espontaneamente da terra.

1988 Lama Gangchen mudou-se para Milão. Como sempre sua porta estava aberta para quem quer que estivesse sofrendo e quem quer que estivesse procurando por sabedoria. No dia 3 de dezembro fundou, em São Paulo, o seu primeiro Centro de Dharma do Ocidente, o Centro de Dharma da Paz Shi De Choe Tsog.

1989 A cada ano Lama Gangchen recebe mais convites de várias partes do mundo e conseqüentemente seu programa de viagem se expande cada vez mais. O número de amigos e discípulos foi aumentando, como também o número daqueles que o acompanham em suas viagens. Ele começou o Ano-Novo Tibetano com uma visita ao Nepal, acompanhado por mais de 25 discípulos, com quem visitou muitos lugares sagrados e dirigiu um retiro restrito de Tara Branca para esses discípulos ocidentais. Foi realizado um Puja de Longa Vida para o bem-estar e a longa vida de Lama Gangchen.

Em junho, Lama Gangchen inaugurou oficialmente o Centro Kunpen Lama Gangchen de Milão e, para essa ocasião muito especial, convidou três monges tibetanos do Monastério Pegueling de Katmandu para construírem um mandala de areia colorida de Tchenrezig. Em seguida, a pedido de

Lama Gangchen, esses monges construíram o mesmo mandala na Holanda, na Alemanha e na Suíça.

Na realização de cada mandala, Lama Gangchen concedeu a iniciação de Tchenrezig dos Mil Braços, dedicando a energia positiva acumulada à Paz Mundial. Muitas pessoas vivenciaram verdadeiros benefícios e bênçãos através de mudanças positivas em sua vida.

No Monastério de Sera Me, no sul da Índia, Lama Gangchen completou e inaugurou a sala de oração de "Tsangpa Khangtsen" e os quartos para, pelo menos, quarenta monges da província de Tsang.

Nesse ano Lama Gangchen também visitou, pela primeira vez, Espanha, Malásia, Cingapura e Indonésia.

Lama Gangchen fez sua primeira viagem à Malásia a pedido e convite pessoal da Sra. Karpalani, uma indiana maravilhosa.

Foi convidado para conduzir a segunda cerimônia anual do Buddha da Medicina, na Sala da Assembléia Chinesa, a pedido de Mr. Kok Kim Tong, Presidente do Comitê Persatuan Buddha Amogha Sagara. Assistiram à cerimônia, diariamente, 2 mil budistas de origem chinesa, e todos os dias cerca de cem pessoas vinham para conselhos e cura.

Uma cerimônia dos "Oito Símbolos Auspiciosos", seguida de um puja do fogo, foi realizada no último dia da visita, para liberar os mortos; toda a energia positiva acumulada durante os dias foi dedicada à Paz Mundial, harmonia, prosperidade e ao benefício do povo da Malásia.

1990 Lama Gangchen passou os dois primeiros meses em peregrinação na Índia e no Nepal, com aproximadamente quarenta discípulos ocidentais e orientais. Mostrando os lugares onde os grandes panditas, mahasiddhas e o próprio Buddha tinham meditado, Lama Gangchen deu oportunidade a seus amigos e discípulos de se sentirem mais proximamente conectados aos seres sagrados do passado.

No Nepal, pediu aos mesmos monges de Pegueling, que construíssem um mandala de areia permanente, para ficar em sua residência particular em Katmandu.

A convite, no caminho de volta para a Itália, passou pela Malásia e por Cingapura, onde deu conferências, concedeu iniciações e curou muitas pessoas.

Em abril, Lama Gangchen visitou seu Centro em São Paulo, o Centro de Dharma da Paz Shi De Choe Tsog.

Durante as três semanas de sua estada, amigos e discípulos mostraram um crescente entusiasmo pelos ensinamentos e atividades de Lama Gangchen.

Em Campos do Jordão, uma estância climática, dirigiu um retiro de Vajrasattva e, no dia da comemoração do aniversário da estância, o conselho da cidade ofereceu a Lama Gangchen uma carta oficial de boas-vindas.

Em maio, a convite da Irlanda, visitou a Inglaterra pela primeira vez.

Ainda nesse ano, visitou Tilburg e Roterdã na Holanda, Málaga na Espanha, a Suíça e os Estados Unidos da América.

1991 Em janeiro Lama Gangchen viajou para a Grécia e Suíça e aceitou o convite para abençoar o novo Centro de Dharma aberto em Gênova, na Itália. Como normalmente faz todos os anos, Lama Gangchen comemorou o Ano-Novo Tibetano, Losar, no Nepal. Na sua chegada recebeu a notícia de que o Venerável Tamba Lama Gangchen do Monastério de Tashi Lumpo havia falecido e lhe pediram que fizesse as cerimônias de cremação. Um costumeiro Puja de Longa Vida anual foi oferecido a Lama Gangchen em sua casa, promovido por Luisa Haller e realizado por 150 monges. Em 2 de abril Lama Gangchen visitou mais uma vez o Centro de Dharma da Paz em São Paulo, coincidindo com o dia do lançamento de seu primeiro livro, *Autocura I*, publicado no Brasil.

No dia 1º de maio inaugurou o Centro do Buddha da Medicina, em Málaga, na Espanha.

Em 12 de maio abençoou o novo Centro de Retiros Rintchen Ling Drupkhang, perto de Alessandria, na Itália.

Em Florença foi convidado a participar da celebração inter-religiosa "Um Encontro Pela Paz", realizado na Igreja de San Miniato al Monte. Em Roma, inaugurou um novo Centro de Dharma perto de Velletri, chamado "Primavera do Dharma", em um dia muito auspicioso, o aniversário de Buddha.

No dia 6 de julho Lama Gangchen levou cinqüenta amigos e discípulos ocidentais a sua terra natal, o Tibete, onde o grupo se uniu a muitos tibetanos.

As três semanas seguintes foram plenas de eventos de grande inspiração – visitas a lugares sagrados, dias de prece e cerimônias de oferendas.

Em Gangchen, perto de Shigatse, mais de 10 mil peregrinos tibetanos vieram ao Monastério de Gangchen para receber as poderosas e profundas bênçãos de Lama Gangchen, bem como mensagens de esperança para desenvolver a paz mundial externa e interna, formando uma infindável serpentina humana por todo o vale, acima e ao redor das colinas vizinhas. Para alguns isso significou ficar debaixo de um sol ardente e areia escaldante durante todo o dia. Desde a madrugada até a noite Lama Gangchen deu suas bênçãos para cada pessoa da fila. No quarto dia do sexto mês do calendário tibetano, em Chö Khor Dütchen, data comemorativa da primeira vez em que Buddha girou a roda do Dharma e o dia do paranirvana de Panchen Zangpo Tashi, Lama Gangchen realizou a cerimônia de abrir e pendurar uma tanka bordada de três andares de altura de Buddha Maitreya, trazida especialmente do Nepal.

Lama Gangchen ofereceu muitos objetos, como tapetes, alimentos, etc., a seu povo. Além disso, ainda ofereceu 25 iuanes para a reconstrução do Monastério de Gangchen e 100 iuanes para cada um dos vinte monges. Ofereceu também 20 mil iuanes para reconstruir o departamento de Tsangpa Khangtsen no Monastério de Sera Me, e US$ 1.000 para aumentar o Dorte Kangsor em Lhasa.

Visitou lugares sagrados nos monastérios de Sakya, Tsetang, Yumbu Lhakang e Riwo Chöling, antes de viajar para Amdo, onde visitou o Panchen Shangde, o famoso lago azul, Kumbum, Windu Gompa, a casa de Panchen Lama, Tashi Khil e Chöni Gompa.

Durante essa peregrinação, ao visitar o Palácio de Potala, em Lhasa, Lama Gangchen descobriu um livro precioso escrito por Panchen Zangpo Tashi. Lama Gangchen recebeu uma permissão especial para levar o texto a Beijing para fazer uma cópia. Mais tarde declarou: "O discurso de Panchen Zangpo Tashi está de volta".

Lama Gangchen continuou sua viagem com uma primeira visita à Mongólia e uma breve visita a alguns monastérios, o que provou ser a semente para uma volta mais frutífera no ano seguinte.

De uma forma similar, dois dias de parada em Moscou deram a Lama Gangchen uma clara perspectiva da situação, estendendo a causa de sua extrema compaixão para todos esses países comunistas. No ano seguinte Lama Gangchen estabeleceu seu primeiro centro em Moscou.

Em Milão Lama Gangchen promoveu a exposição "Tibete – Coração da Ásia", com a colaboração da Associazione Itália-Tibete. Para essa ocasião, convidou uma vez mais os monges para fazerem o mandala de areia de Yamantaka e, o mais importante, a coleção de Essen foi especialmente trazida da Alemanha, com a presença do próprio Essen, amigo íntimo de Lama Gangchen.

Lama Gangchen enviou um convite especial a Sua Santidade o Dalai-Lama, que veio a Milão, e o maravilhoso sucesso da exposição foi realmente coroado com essa visita e com a bênção concedida durante a cerimônia de encerramento.

O dia de abertura também coincidiu com a apresentação de danças sagradas Tcham de um grupo de monges sob a direção de Sua Santidade Sakya Trinzin, assistida por Lama Gangchen, que convidou o grupo para ir ao centro KLG, oferecendo comida, refrescos e doação para cada um. No dia seguinte Lama Gangchen visitou Sua Santidade Sakya Trinzin em Lugano, na Suíça.

Em outubro, começou sua viagem anual aos monastérios tibetanos no sul da Índia, antes de ir para Malásia, Cingapura e a estupa sagrada de Borobudur, na Indonésia.

No Monastério de Sera, Lama Gangchen ofereceu doze textos que ele trouxe do Monastério de Chöni, em Amdo, no Tibete. Ofereceu 100 mil rupias de doação para a reconstrução de Sera Latchi, e realizou muitas outras atividades.

Na volta do sul da Ásia parou no Nepal para assistir a um Puja de Longa Vida para Lama Zopa Rimpoche e ofereceu um Puja de Longa Vida para Tchöpkye Rimpoche, o principal detentor da linhagem Sakya Tsarpa.

1992 Começou seu ano-novo com muitos discursos sobre o desenvolvimento do budismo ocidental para a paz mundial.

Através dos anos Lama Gangchen tem trabalhado com esse objetivo, e após dez anos de dedicação ao Ocidente, a energia acumulada por essas atividades começou a dar frutos. Durante três meses de retiro financiou o primeiro festival Monlam do Monastério de Pegueling de Katmandu.

Gueshe Yeshe Wangchuk, mestre de Lama Gangchen, chegou do Tibete e a pedido de Lama Gangchen realizou a cerimônia de Rame Tchemo – Grande Bênção – no Nepal e mais tarde em Sera Me Tsangpa Khangtsen, no sul da Índia.

No dia 4 de julho assistiu à abertura do primeiro Seminário Internacional sobre a Medicina Tibetana em Madri, com a participação de quase quatrocentos médicos, terapeutas e amigos de diferentes países, com a duração de quatro dias.

No dia 7 de julho, último dia do congresso, Lama Gangchen anunciou a criação oficial da Lama Gangchen World Peace Foundation (LGWPF) – Fundação Lama Gangchen para a Paz Mundial –, uma organização dedicada para a amizade internacional, para o apoio da medicina tibetana, da filosofia budista vajrayana e Autocura para a Paz Mundial. E assim deu a todos uma nova e maravilhosa oportunidade para o Ocidente e o Oriente criarem um fórum, um elo de comunicação para compartilharem idéias científicas e filosóficas; e também para a integração da Ciência Médica Tibetana na sociedade ocidental.

Lama Gangchen realizou encontros semelhantes em Ulan Bator, na Mongólia, depois em Katmandu, no Nepal, e em Moscou, na Rússia.

No outono, iniciou sua costumeira viagem pelo sul da Índia e pelo Sudeste Asiático e aceitou um convite extra para ir a Pokok Sena, perto da Tailândia, onde muitas pessoas, por terem experimentado maravilhosos resultados positivos com as pílulas da água e do creme de Lama Gangchen, estavam ansiosas por encontrá-Lo e recebê-Lo com grande entusiasmo.

Enquanto estava na Indonésia, Lama Gangchen decidiu visitar alguns templos budistas perto de Borobudur, todos eles muito antigos.

Dirigindo um retiro de Vajrasattva de seis dias, com seus 27 discípulos no "Himalaya Torinese", na Itália, comemorou o ano-novo.

1993 Durante um retiro de uma semana no ano-novo, no Centro Primavera do Dharma em Velletri, perto de Roma, criou um novo método de Yoga Tantra para abrir, purificar e energizar nossos chakras e canais internos.

Nos tempos antigos os Lamas gastavam longos períodos em retiros e obtinham muitas realizações e sabedoria. Hoje em dia isso é mais difícil; então por meio de infinita bondade e compaixão, Lama Gangchen criou esse novo método para ajudar a todos a despertarem suas energias sutis e entrarem contato com sua verdadeira e inata natureza búdica. Em três semanas a prática de Autocura Tântrica estava sendo publicada.

Ele então deu ensinamentos e instruções para a nova prática na Itália e em outras partes do mundo.

No dia 13 de janeiro, Lama Gangchen teve uma

audiência particular com Sua Santidade O Papa, no Vaticano. Eles trocaram bênçãos e encorajamentos para o objetivo comum da Paz Mundial. Durante esse encontro, como uma auspiciosa coincidência, muitos soldados de Velletri chegaram e fizeram um desfile.

No décimo terceiro dia, seguindo o começo dessa prática, o senhor Barba, gerente do Holiday Inn de Lhasa no Tibete, visitou o Centro Kunpen Lama Gangchen em Milão e ofereceu a Lama Gangchen uma encantadora tradução italiana de "Canções do VI Dalai-Lama" com a seguinte dedicatória especial:

Ao Venerável Lama Gangchen, que esteve em Lhasa em 1991 e dispersou o frio, a altitude e a solidão; e confirmou que "o melhor ainda está por vir". Namo Guru Bye.

Ernesto Barba

Todas essas mensagens são muito significativas de que a prática irá beneficiar muitos seres e que os Seres Sagrados estão concedendo Suas bênçãos e dando Sua permissão para o desenvolvimento dessa prática no mundo moderno.

Em apenas três meses a prática de Autocura II foi traduzida e impressa em italiano, espanhol e português; e as traduções em francês, holandês, alemão e chinês estavam em andamento.

Durante o ano todo Lama Gangchen introduziu essa prática para as pessoas de todos os países. Visitou a Suíça, o Nepal, várias cidades da Itália, Brasil, Espanha, Bélgica, China, Malásia, Índia, Tailândia, Cingapura e Indonésia. Algumas vezes, a prática foi transmitida pelo rádio e pela televisão, para milhares de pessoas na Espanha, na Itália e no Brasil.

No Brasil Lama Gangchen foi convidado para apresentar a prática de Autocura II na praça interna do Shopping Center Morumbi, em São Paulo, durante a inauguração de uma pequena sala de meditação, que Ele abençoou, ofereceu, então, esse antigo método secreto de sabedoria de energia tântrica. Isso foi transmitido para cerca de quinhentas pessoas que se encontravam no Shopping. Muitas delas interromperam sua tarde de compras para "comprar" um pouco de espiritualidade. Carregadas de sacolas de compras, as pessoas se juntaram muito felizes ao círculo de dança de cura.

Nesse ano o prefeito de Campos do Jordão, João Paulo Ismael, grande apreciador do trabalho de Lama Gangchen pelo meio ambiente e pela Paz Mundial, ofereceu-lhe a "chave da cidade" e declarou-o publicamente hóspede oficial de Campos do Jordão.

O encontro da Fundação Internacional para a Paz Mundial de Lama Gangchen, em Madri, na Espanha, foi um grande sucesso. A noite de abertura, no dia 5 de maio, foi assistida por aproximadamente duzentas pessoas, e durante a semana pelo menos quinhentas pessoas participaram dos seminários das 10 às 22 horas diariamente.

Na Itália os pedidos para cursos de Autocura foram muito numerosos e Lama Gangchen foi convidado para mostrar os exercícios em uma discoteca perto de Rimini, onde muitos jovens participaram desse programa da meia-noite um tanto incomum!

Na Rússia visitou Leningrado pela primeira vez, assim como o templo tibetano, que se encontra mais ao norte, o primeiro a ser construído na Europa, o Kuntsechoinei Dratsang. Em seguida foi para Buriatie, Ulan Ude e as praias do lago Baikal, onde foi recebido calorosamente pelas comunidades budistas locais.

Na Mongólia, mais de 1.200 pessoas se reuniram no Palácio das Crianças para participar das preces pela Paz Mundial e das práticas de Autocura. Aqui Lama Gangchen recebeu um convite do Venerável Da-Lama, o Lama principal de todos os monastérios da Mongólia, pedindo a ele que realizasse dali a alguns dias essa mesma cerimônia no Monastério de Ganden Teckchenling. Contudo, Lama Gangchen já havia aceitado um convite anterior do Guru Deva Lama para participar da Cerimônia da Grande Bênção Rame Tchemo, realizada no Monastério de Amer Baizlaan. O dia foi coroado pela presença pessoal do Presidente da Mongólia, o qual, pela primeira vez desde que a Mongólia reconquistou sua autonomia, participou de tais festividades religiosas e, além disso, Lama Gangchen teve uma audiência particular com o presidente.

Na China visitou três "novos" lugares: Chengdu, Wutai Shan – As Cinco Montanhas de Manjushri, ou Riwa Tsenga – e Datong.

Em Chengdu, onde há ruínas de um complexo de cinco templos, um deles é uma réplica exata, apenas um pouco menor, do Palácio de Potala, no Tibete, e outro representa o Monastério de Tashi Lumpo – a residência do VI Panchen Lama. Por toda parte e bem inesperadamente, muitos chineses abertamente se prostraram diante de Lama Gangchen e nele tomaram refúgio.

No Nepal, no dia 15 de agosto, no mesmo dia, como no ano anterior, do Puja da Paz Mundial em Katmandu, o ex-primeiro ministro do Nepal, senhor K. P. Bhatterai, assistiu à cerimônia de abertura do Himalayan Healing Centre, em meio a cerca de 300 tibetanos e ocidentais reunidos nesse evento muito feliz de "um sonho que se torna realidade".

No Monastério de Sera, no sul da Índia, Lama Gangchen consagrou as estátuas de Maitreya de oito pés de altura, consagrando-as no Sera Me Dratsang no dia auspicioso da descida de Buddha do Céu, no dia 6 de novembro.

Na Malásia foi convidado pela quinta vez para conduzir a cerimônia anual do Buddha da Medicina e introduziu a prática de Autocura para milhares de pessoas.

Novamente realizou sua viagem para Borobudur, na Indonésia, onde a prática de Autocura Tântrica foi revelada pela primeira vez no ano anterior. Dessa vez mostrou como usar o antigo mandala de Borobudur como a base da iniciação para a prática de Autocura Tântrica.

O ano chegou ao final pacificamente em Katmandu, onde Lama Gangchen descansou alguns dias antes de voltar para a Itália.

Durante dez anos ofereci principalmente o meu corpo para servir e curar o corpo, a palavra e a mente dos outros. Agora desejo servir principalmente oferecendo a minha palavra e mais tarde oferecendo principalmente minha mente para o benefício de trazer Paz Interna e Externa para este Mundo.

Possa tudo ser auspicioso!
Lama Gangchen Tulku Rimpoche

INTRODUÇÃO DA VERSÃO EM INGLÊS

Querido leitor,

Estou muito feliz de ver a versão inglesa deste livro e muito grato pelo esforço que foi feito para a sua produção.

Este livro foi criado para ajudar o leitor a pensar e se concentrar na Autocura, e, assim, espero que ele ajude a dissolver todo tipo de problema.

Se você já tem uma boa saúde física e mental, este texto é a melhor autoproteção em sua vida. Por meio da Autocura você irá desenvolver uma mente estável.

Se você tiver quaisquer dúvidas ao ler este livro, por favor não hesite em me escrever ou contatar um de nossos centros (veja a lista no final do livro).

Eu, pessoalmente, e todos aqueles que trabalharam nos diferentes estágios para preparar este texto pedimos desculpas por qualquer possível erro.

Dedico este livro ao desenvolvimento espiritual, mental e à saúde física de todos vocês, meus amigos de todo o mundo.

Om Muni Muni Maha Muni Shakya Muniye Soha

Lama Gangchen Tulku Rimpoche

INTRODUÇÃO À SEGUNDA EDIÇÃO

*E*stou muito feliz por saber que meus amigos brasileiros do Centro de Dharma da Paz Shi De Choe Tsog, em São Paulo, estão editando mais uma vez meu primeiro livro, *Autocura I*. Gostaria de agradecer especialmente a Bel Cesar, Jefferson Alves e Richard Alves, que tornaram possível esta nova edição. Este livro é a edição da transcrição de um *workshop* que dei em São Paulo em 1990. Ele foi o primeiro de uma série de livros que escrevi nos últimos dez anos para tentar ajudar a superar uma sensação tão presente nos dias de hoje: a de que algo sempre está faltando. De alguma forma, meus projetos sempre se realizaram primeiro no Brasil, o país do futuro, o que, acredito, se deve ao coração caloroso e aberto do povo brasileiro. Este livro é importante, pois apresenta de forma bastante simples e acessível a essência dos meus pensamentos sobre como praticar o budismo no Ocidente, isto é, como desenvolver paz interna e mundial. Este livro é um verdadeiro presente para as pessoas do terceiro milênio, pois pode ajudá-las a integrar a paz em seu cotidiano.

Meus melhores votos para esta publicação e para todos os projetos futuros a serem concretizados.

Saúde Física
Saúde Emocional
Saúde Mental
Paz Interna
Paz Mundial
Agora e Sempre
Com a Atenção de Todos os Seres Humanos
Com as Bênçãos dos Seres Sagrados
Com as Bênçãos de Buddha Shakyamuni

T. Y. S. Lama Gangchen
Milão, 13 de junho de 2000.

PREFÁCIO DA EDIÇÃO ORIGINAL

*E*mbora seja uma filosofia complexa, o budismo tibetano deve ser vivenciado de forma simples e direta. Lama Gangchen Rimpoche é de poucas palavras. Transmite o Dharma – os ensinamentos espirituais que libertam os seres do sofrimento – por meio da meditação e de sua prática de cura.

Há quatro anos venho acompanhando seu trabalho, seja no Brasil, na Europa ou na Ásia. Em qualquer lugar, Rimpoche é sempre o mesmo: presente e suave.

O número de pessoas que o têm procurado geralmente é tão grande que seu contato com cada uma delas às vezes costuma ser de apenas cinco a dez minutos. O paciente conta o que está lhe acontecendo, Rimpoche mede seu pulso com os dedos, faz algumas perguntas, indica os remédios tibetanos e transmite o mantra de Buddha Shakyamuni. Depois o abençoa e lhe oferece uma fita de proteção.

No período em que ajudei a traduzir esses atendimentos, inúmeras vezes pude presenciar a mesma cena:

alguém fazendo muitas perguntas e Rimpoche respondendo com poucas palavras de sabedoria e compaixão. Talvez um bom exemplo seja uma ocasião em que uma paciente lhe perguntou: "Por que tenho medo? Vou morrer como minha mãe?"...
Rimpoche a olhava atenciosamente e a cada nova pergunta dizia: "Hã... hã... O que mais você quer perguntar?". Até que, num determinado momento, as perguntas finalmente cessaram. Rimpoche, então, falou: "Hoje você não fará mais perguntas. Amanhã você não fará perguntas. Depois de amanhã, a mesma coisa. Se no dia seguinte você continuar a não questionar, é possível que escute dentro de você uma pequena resposta. Se você continuar a não perguntar, a cada dia essa resposta irá crescer. Isso porque sua mente está com espaço apenas para perguntas e não para respostas".

Este livro é a transcrição de um *workshop* que Rimpoche realizou em seu Centro de Dharma Shi De Choe Tsog, em São Paulo, em abril de 1990. É seu primeiro livro. Uma preciosidade, pois os ensinamentos contidos nele são profundos e práticos.

O *workshop* foi proferido em tibetano e Cláudio Cipullo, seu tradutor oficial, traduziu-o para o "portunhol". Cláudia Homburguer dedicou horas transcrevendo as gravações. Então, organizei o texto procurando manter o estilo claro e caloroso de Rimpoche. Junto com Lucia Amaral elaboramos a edição final e Rosie Mehoudar revisou o texto em português.

Gostaria de dedicar toda a energia positiva que for acumulada por meio deste livro ao trabalho de Lama Gangchen Rimpoche, por quem sinto profunda devoção.

Isabel Villares Lenz Cesar
Março de 1991

OS CINCO PENSAMENTOS ILIMITADOS

Os cinco pensamentos ilimitados nos dão energia para desenvolvermos nosso grande coração de Bodhichitta, o qual estende a mão e assume a responsabilidade para cuidar e curar todos os seres vivos por todo o samsara, até mesmo fora dos limites do cosmo.

Há infinitos seres vivos no cosmo, assim precisamos expandir nossa perspectiva de apenas nos preocuparmos egoisticamente conosco e considerarmos apenas o nosso bem-estar, para cuidarmos dos ilimitados seres sencientes.

Ter uma perspectiva própria da realidade é uma profunda forma de Autocura e uma causa essencial para desenvolver o poderoso grande coração de Bodhichitta.

Amor Ilimitado

Que todos os seres tenham felicidade e suas causas.

Dedicamos nossa energia a todos os seres vivos, amigos, inimigos, estranhos e parentes para dar felicidade – riqueza, amor, *status*, crianças, prazeres sensuais etc. – e as causas para a felicidade samsárica temporária, e a felicidade absoluta da Terra Pura, ensinando-lhes o carma, o refúgio, os três treinos superiores, o Mahayana e os caminhos do Tantra. E especialmente como praticar o caminho de abraçar a Verdade Absoluta, seguindo os caminhos verdadeiros e obtendo as verdadeiras cessações.

Compaixão Ilimitada

Que todos os seres sejam livres do sofrimento e de suas causas.

Dedicamos nossa energia para aliviar pessoalmente as opressivas doenças de corpo e mente, o sofrimento e as doenças de todos os seres vivos do samsara.

O desejo de pessoalmente se responsabilizar por ajudar e curar todos os seres vivos é chamado de intenção superior.

Alegria Ilimitada

Que todos os seres nunca se separem da grande felicidade que está além de todo o sofrimento.

Dedicamos nossa energia positiva, desejos e preces para nos responsabilizarmos pessoalmente por livrar todos os seres vivos do sofrimento da existência samsárica, e levá-los para a felicidade imutável da liberação e do nirvana.

Para realizar esse incrível resgate de todos os seres vivos, não basta apenas permanecer em um corpo e mente comuns e limitados – precisamos de corpo, palavra, mente, qualidades e ações ilimitados de um Buddha de puro cristal. Assim dedicamos nossa energia para obter o estado de completa perfeição, com a intenção de nos tornarmos capazes de levar todos os seres vivos a um estado além do sofrimento.

Este é o grande coração Bodhichitta que toma muitas formas: às vezes a gente se sente como um Bodhisattva, na forma de um rei, desejando obter primeiro o total poder e a habilidade do Estado de Buddha e então, como um rei, poder abrir os portões de nosso reino nirvana e nossa terra pura para todos os seres vivos.

Às vezes nos sentimos como um Bodhisattva, na forma de um pastor, desejando guardar o rebanho de seres vivos à nossa frente no santuário de liberação e Iluminação.

Outras vezes, sentimo-nos como um Bodhisattva, na forma de um capitão de navio, desejando viajar junto com todos os seres vivos, atravessando o oceano do samsara até nosso destino final da terra pura de Iluminação.

Equanimidade Ilimitada

Que todos os seres vivam em equanimidade, livres dos extremos de atração por uns e da aversão por outros.

O nosso maior obstáculo para obter o grande coração de um guerreiro desperto – Bodhisattva – é nossa mente preconceituosa, que favorece amigos e aqueles que achamos que nos ajudaram e desgosta ou deseja prejudicar aqueles que achamos que nos prejudicaram, e é totalmente indiferente àqueles que consideramos como não tendo nem nos prejudicado nem ajudado.

Essa atitude mental está totalmente fora do contato com a realidade – como o astronauta americano disse quando viu o planeta terra da sua espaçonave:

"Pela primeira vez em sua vida você sente nas entranhas a unidade preciosa da Terra e de todos os seres vivos que ela abriga. Essa dissonância entre a unidade que você vê e a separação dos grupos humanos que você sabe que existe é completamente aparente".

Não estou sugerindo que todos vocês precisem viajar até a Lua para desenvolver a equanimidade, mas todos nós precisamos elevar nossa perspectiva acima e além de nossas preocupações diárias e cortar a nossa atitude egocêntrica.

Paz Ilimitada

Que todos os seres possam desfrutar de paz mundial interna e externa, agora e sempre.

Nós mesmos como Bodhisattvas, guerreiros despertos, responsabilizamo-nos pessoalmente por ajudar os outros a desfrutar a Paz Mundial externa e interna para sempre. Paz Mundial externa significa uma terra pura, livre de verdadeiros sofrimentos, que é projetada pela nossa paz interna e mente pura.

O único caminho supremo para ter uma paz absoluta e um corpo e mente puros nos níveis grosseiro, sutil e muito sutil é transformar a energia de nosso corpo e mente com as poderosas práticas dos estágios de geração e realização do mais alto Yoga Tantra. Assim, a fim de realmente completar nosso desejo pessoal de levar outros seres vivos a usufruir para sempre a Paz Mundial interna e externa, precisamos completar o caminho tântrico do Bodhisattva para rapidamente sermos capazes de curar todos os seres vivos, até mesmo agora nesta vida humana curta.

A AUTOCURA NO BUDISMO TIBETANO

*E*stamos reunidos hoje no Centro de Dharma, com antigos e novos amigos para realizar este *workshop*. Estou muito contente que tantas pessoas queiram escutar estes ensinamentos. O assunto de hoje é a autocura. Para tanto necessitamos primeiro saber como ficamos doentes, que tipos de problemas temos, para, então, realizarmos a autocura.

Precisamos compreender como surgem as nossas doenças. Necessitamos investigar todas as causas do sofrimento, sejam elas de origem externa ou provenientes de uma forma incorreta de levarmos a vida. Por exemplo, pensamos que todos os nossos problemas vêm de fora, por culpa de alguma pessoa, do marido, da mulher etc. Na realidade precisamos analisar com muita precisão a origem do problema. Às vezes pensamos: meu marido "isto", as crianças "aquilo" e "por isso" a esposa, as falhas da situação financeira, dos negócios etc. Dessa forma, habitualmente acreditamos que a causa de todos os nossos problemas vêm de fora. Estamos sempre projetando nos outros a causa de nossos problemas. É verdade que essas condições externas também são importantes. Às vezes, achamos que alguém não gosta de nós ou até mesmo temos a idéia fixa de que existem inimigos externos. Mas, na realidade, se analisarmos o verdadeiro problema, veremos que ele é sempre interno. Por essa razão nos faz falta um método de autocura. Existem muitos conflitos dentro de nós, muitas dúvidas. Por isso é que necessitamos muito da autocura.

Podemos falar sobre a autocura de uma forma tradicional de acordo com a filosofia budista. Mas talvez esteja um pouco distante de nós a maneira tradicional de escutar um ensinamento filosófico. Por isso, analisaremos alguns exemplos práticos, pois precisamos compreender o seu verdadeiro significado. Às vezes, compreendemos alguma coisa, mas não de forma profunda. Ao exemplificar, corremos o risco de generalizar e não captar a verdadeira essência do significado da autocura.

No processo de autocura devemos observar, primeiro, em nós mesmos, a impressão mental que nos leva a acreditar na existência de um inimigo externo. Em nossa mente existem marcas que nos condicionam a crer na existência de um inimigo que nos causa muito medo. Essa é a razão de termos muitos pensamentos, projeções e bloqueios mentais sobre diversas situações.

Vejamos o seguinte exemplo: em nossa casa temos muitas portas e nos preocupamos sempre em fechá-las; no portão, às vezes, existe uma câmera de TV ou um olho mágico para ver quem está fora; ou há um porteiro ou um interfone para avisar quem está chegando... Além de colocarmos grades para nos proteger, diariamente as fechamos muito bem porque sempre temos o pensamento de que um inimigo de fora virá perturbar. Todos os dias nos trancamos por trás dessas portas porque temos esse pensamento negativo sempre fortemente presente em nossa mente.

Em alguns casos, existe de fato um inimigo externo e agindo assim estaríamos preparados para nos proteger. Mas também é possível que jamais sejamos por ele ameaçados ou perturbados. Por exemplo, em mil famílias apenas poucas são assaltadas. Tantas famílias se protegem contra assaltos e roubos... Mas o inimigo externo não é tão perigoso quanto o inimigo interno, como doenças do corpo, da fala e da mente. O inimigo interno, a doença interna, é o verdadeiro problema com o qual devemos nos preocupar.

É muito importante que tentemos curar esse inimigo interno, essa doença "da dúvida" que temos dentro de nós. Isso não é fácil porque, na nossa forma de pensar, identificamos esse inimigo interno como sendo nosso amigo – de alguma maneira sempre nos autojustificamos: "Isto é bom, isto me ajuda". Então, na realidade, não compreendemos o que é o inimigo interno, isto é, o que é o sofrimento e a doença interna. Para praticar a autocura, o primeiro passo é compreender quem é nosso amigo e quem é nosso inimigo. Isso é fundamental.

Um inimigo externo pode até nos matar, mas precisamos compreender o que realmente nos destrói. Temos muitos inimigos externos, mas, se conferirmos, existem muito mais inimigos internos do que externos. O mesmo acontece com a origem da doença e do sofrimento. Existem muito mais doenças e sofrimentos internos do que externos.

A doença interna, às vezes, parece ser nossa amiga. Pensamos que ela nos traz felicidade... Quem é que vai nos matar? O inimigo externo ou interno? Na realidade, somos nós mesmos que nos matamos. Isso é muito perigoso.

Vejamos alguns exemplos de como o que nos parece ser um amigo é na realidade nosso inimigo.

Em nossa mente sempre temos o pensamento de que o cigarro é nosso amigo, de que ele nos ajuda. Isso se dá porque nossa mente está bastante próxima desse objeto. Pensamos: "Ah! Um amigo deve ficar muito próximo e um inimigo deve ficar bem longe". Por exemplo, ao comprarmos um maço de cigarros, logo o colocamos próximo de nosso corpo, muitas vezes dentro do bolso, perto do coração; e se fosse possível faríamos um buraco para colocá-lo dentro dele.

Por que fazemos isso? Porque nossa mente pensa: "Isto é muito importante para mim, por isso quero deixá-lo muito perto de mim". Assim carregamos esse maço de cigarros sempre perto de nós. Colocamos o maço na cabeceira quando vamos dormir, logo depois de termos trancado todas as portas... mas, então, não há mais sentido em fechá-las, porque nosso maior inimigo já está dentro de casa, ao nosso lado, bem junto de nós. Isso porque ele é um inimigo interno. Está em nossa casa "interna".

Eu não posso afirmar que o cigarro é um inimigo porque nunca experimentei, mas quem fuma deve pesquisar e avaliar para compreender o quanto isso é importante.

Costumamos nos queixar de falta de dinheiro, por exemplo, mas nunca calculamos o quanto gastamos comprando cigarros. Com esse dinheiro estamos prejudicando nossa saúde, nosso corpo e nossa mente...

Quem nos causa esse dano? Ninguém nos obriga a gastar esse dinheiro. Somos nós mesmos. Ao fumar um cigarro parece que há um prazer passageiro, mas depois surgem muitos problemas. Quando tragamos, sentimos mais energia, mas depois começamos a tossir. Isso significa que nosso corpo está sofrendo. Ele reage ao mal que lhe fazemos com o som da tosse, como se estivesse nos dizendo: "Isto me faz mal, isto me faz mal" (Rimpoche tosse enquanto fala...). Aprendemos outros idiomas, mas não entendemos a linguagem de nosso próprio corpo. É nosso pulmão que nos está falando nesse momento.

Uma vez, uma semana, um mês, um ano e daí um dia os nossos pulmões estarão destruídos. Todos nós devemos saber o que acontece com nosso corpo. Devemos parar para pensar o quanto o nosso corpo é importante.

Nossa mente está sempre ocupada com muitos pensamentos e idéias, mas, se o nosso corpo não estiver forte, não realizaremos nossos projetos.

E quem está destruindo nosso corpo? É um inimigo externo que vem nos atacar? Não, somos nós mesmos.

Se fumarmos muito, um dia ficaremos doentes e seremos hospitalizados. Teremos de passar por muitos exames desagradáveis e dolorosos. Nesse momento, o médico não irá nos falar de nossas qualidades, mas sim das deficiências dos nossos pulmões, fígado e rins. Escutando tudo isso, nossa mente ficará muito deprimida. Estando muito tempo hospitalizados, ficaremos com saudade e preocupados com nossa família. Aí, então, teremos dois tipos de sofrimento: o físico e o mental. Nesse momento, é muito provável que façamos uma promessa de não mais fumar. Talvez, após tudo isso, tenhamos a sorte de ter uma rápida recuperação, mas, como nossa mente possui hábitos negativos muito poderosos, logo voltaremos a repetir o que nos fez mal... e novamente teremos grandes dificuldades e acabaremos morrendo com muito sofrimento.

Perguntamos novamente: Quem está nos matando? Somos nós mesmos. Por exemplo, a sociedade critica muito alguém que se suicida. Esse fato é considerado grave e escandaloso. Na realidade, estamos nos matando. É isso que precisamos compreender: estamos nos suicidando, e isso é muito ruim.

O Dharma nos oferece muitas práticas. A primeira coisa a ser feita é seguir o caminho correto nas pequenas coisas. Por exemplo, se deixarmos de fumar, por uma semana, talvez tenhamos algum tipo de problema, mas isso será apenas produto da nossa mente. Podem ocorrer pensamentos como: "Estou muito tenso porque deixei de fumar" ou "Estou feliz porque não fumo mais". Tudo isso são apenas construções mentais.

Muitas pessoas pensam que realizar a autocura é fazer uma infinidade de exercícios mentais. A verdadeira e profunda autocura é a cura da mente. Sem dúvida alguns exercícios podem ajudar... Posso estar enganado, mas talvez os exercícios sejam o caminho mais correto. Mas o que penso é que precisamos trabalhar nossa mente para poder compreendê-la e aceitá-la. Pois, com a mente comum, sempre compreendemos tudo, mas raramente aceitamos o que compreendemos. Dessa forma, muitas vezes dizemos: "Eu sei, mas...". Esse é o problema, pois sem aceitação não pode haver a autocura.

Estou falando sobre a autocura e provavelmente muito do que estou dizendo vocês já sabem, mas na realidade não aceitam... Isso porque nossa mente é muito "dura". Por isso precisamos exercitá-la, investigando-a.

Assim como há a prática de "Kun-Nye" (Kun: corpo e Nye: massagem), precisamos de uma massagem para a mente "Sem-Nye" (Sem: mente e Nye: massagem). Isso é a verdadeira autocura: amaciar a mente da mesma forma como amaciamos o nosso corpo. A prática da autocura consiste em transformar nossas negatividades em positividades. Há pouco dei o exemplo do cigarro, mas cada um deve refletir sobre o que está fazendo de maneira incorreta. Se transformarmos nossa maneira de pensar e agir, estaremos praticando a verdadeira autocura.

Assim devemos nos perguntar: "Quem são esses que parecem nossos amigos, mas na realidade são inimigos?". Para os que buscam profundidade, essa pergunta é fundamental. A partir dessa questão, teremos uma compreensão clara de como praticar a autocura. Refletindo dessa forma, poderemos nos desapegar dos nossos problemas. Assim, teremos uma mente estável e o *workshop* de hoje terá sido útil e de grande benefício para todos nós. É questionando sobre quem é o verdadeiro amigo que poderemos destruir nossa ignorância.

Agora voltamos ao nosso tema tomando como exemplo a bebida alcoólica.

Muitas pessoas se destroem bebendo álcool e não percebem que estão enfraquecendo seus cinco sentidos...

Beber um pouco não faz mal. Tudo bem. Porém, beber mais e mais é ingerir um veneno externo que atua em nossa mente. Assim, uma pessoa forte e saudável fica frágil e fraca após beber álcool, não consegue mais conter sua energia, pois sua mente torna-se instável. Ela começa a falar indiscriminadamente e não respeita mais seus próprios segredos internos. Perde os seus limites.

Quando ingerimos álcool, nossos cinco sentidos se desvanecem. Perdem sua força. A bebida enfraquece nossa visão, quando estamos bêbados nossa vista se enfraquece e deixa de ter utilidade. Acontece o mesmo com nossa mente quando a negatividade interna se manifesta. As negatividades internas são o álcool da mente. Quando bebemos, não podemos mais enxergar e caímos. O mesmo ocorre com a audição. Um amigo pode estar nos dizendo coisas muito boas, mas, quando bebemos, nossa mente só compreende o oposto do que está sendo dito e aí acabamos brigando com nosso amigo. Após beber, geralmente falamos com mais facilidade, mas não conseguimos nos comunicar com mais clareza.

Então, onde está o benefício?

Nosso hálito fica desagradável, o olfato fica insensível... Podemos, até mesmo, cair ao lado de uma lata de lixo e adormecer, e nem sentiremos o cheiro ruim. Dessa forma, perdemos os cinco sentidos, as sensações do corpo e da mente. Perdemos dinheiro, ficamos doentes dos rins e do fígado. Então, onde está o benefício?

Mesmo assim, a bebida dá a impressão de nos trazer benefícios, a bebida parece ser nossa amiga... Na realidade, essa idéia é uma armadilha da mente. Pois beber não é "um amigo", uma vez que nos traz tantos problemas e sofrimentos. Não é algo verdadeiramente necessário...

Como hoje há tantas pessoas aqui, as dúvidas devem ser muitas. Passaremos agora às perguntas para que todos sejam beneficiados.

Pergunta: Por que temos esse inimigo interno que não gosta de nós mesmos? Por que, quando começamos a prática do "Dar e Receber", fazemos tanta confusão?

Rimpoche: É uma boa pergunta e mostra que você refletiu sobre os ensinamentos. É importante investigar como surgem os sentimentos de rejeição e solidão para poder evitá-los.

Antigamente, alguns séculos atrás, a relação pais e filhos era muito mais próxima, havia mais sentimento e respeito. O desenvolvimento científico trouxe muitos benefícios, mas ao mesmo tempo distanciou a humanidade do crescimento espiritual, causando-nos sofrimento. Isso significa que perdemos algo.

Hoje em dia, apesar de os pais serem bondosos com seus filhos, estes têm uma sensação de perda, sentem que algo lhes falta. Os pais perderam o controle sobre seus filhos.

Contrapondo-se ao tempo em que um rei controlava tudo com seu poder, a revolução social trouxe liberdade em excesso. Antigamente os discípulos seguiam seus mestres, havia uma boa comunicação entre ambos. Também a comunicação entre pais e filhos era boa. Depois, porém, veio liberdade demais.

O que vemos em nossos dias? Os pais, repetidamente, dão conselhos carinhosos e sinceros a seus filhos, mesmo quando aparentam estar bravos. Os filhos não gostam de escutar sempre a mesma coisa. A motivação dos pais pode ser sincera, mas às vezes a sua maneira de agir não é adequada e os filhos se aborrecem.

A liberdade em excesso origina problemas. Há informações em demasia nos jornais e na televisão. Podemos notar que as crianças aprendem tudo mais facilmente. Isso é um benefício, mas existe também um lado negativo. Se observarmos, existem mais aspectos negativos do que positivos. Estou me referindo ao "negativo externo". As crianças pequenas são muito sensíveis, pois percebem o amor dos pais, mas sentem que lhes falta algo.

A relação pais e filhos foi perdendo-se com o desenvolvimento da sociedade materialista. Atualmente a motivação dos pais pode ser boa, mas o desempenho e a forma como a comunicação ocorre são inadequados.

Assim como quando tossimos nosso corpo está nos enviando uma mensagem, uma criança quando chora está querendo dizer alguma coisa, está necessitando de algo internamente: mais amor e comunicação. Algo está faltando. Ao dar-lhe coisas materiais, não satisfazemos sua necessidade interna e sua mente fica cada vez mais confusa e perdida.

Quando os pais vão sair e a criança chora, o que a mãe costuma fazer? Temos aqui um bom exemplo, pois geralmente a mãe dá à criança algo material. O que a criança quer é amor. E por que não lhe damos amor? Porque não temos tempo. As pessoas neste século nunca têm tempo. Estão sempre correndo para seu trabalho e seus compromissos. Por isso, tentam suprir as necessidades internas das crianças com algum objeto material, seja um brinquedo ou um docinho. Talvez nem identifiquem essas necessidades internas. Procuram desviar a criança de suas necessidades internas mudando seu foco de atenção para um objeto externo e esperam que, assim, ela pare de chorar.

Esse é um ciclo vicioso: a criança chora e os adultos dão a ela mais um brinquedo. A comunicação entre pais e filhos vai se tornando, dessa forma, cada vez mais difícil. Amor e compaixão deixam de fluir e por conseqüência as crianças reagem negativamente aos pais.

Mesmo dentro do útero materno, quando os pais discutem, a criança já sente algo. Às vezes, sente que os pais não cuidam dela. Quando os pais se separam, os problemas crescem. Essa é a nossa cultura. Perdemos contato com a nossa natureza humana, com o amor e a compaixão, e daí advêm muitos problemas sérios. Por isso precisamos praticar o Dharma. Para recuperar nossa natureza humana: a mente naturalmente compassiva. Praticamos o Dharma para recuperar esses sentimentos profundos de amor e compaixão. Por isso as bênçãos e a prática do Dharma são tão importantes atualmente. Gosto da seguinte analogia: O homem moderno foi à Lua. Estará então sua mente mais tranqüila? Ele esteve na Lua, mas não trouxe a energia lunar. A energia da Lua é calma e refrescante. O homem moderno foi lá e poderíamos esperar que tivesse captado essa energia e estivesse mais tranqüilo e calmo... Na verdade, ele está mais nervoso, mais pesado e tem mais problemas do que nunca. Vemos assim que o desenvolvimento exterior pode tanto fazer mal quanto bem. O homem moderno esteve na Lua, chegou a um outro mundo, mas trouxe poucos benefícios para sua mente.

Agora, falando em termos budistas: não temos foguetes para ir à Lua! Mesmo assim, podemos captar a essência de sua energia sutil, a sua calma. Nas práticas tântricas, visualizamos um disco de lua sobre o qual se senta a divindade. Se meditarmos corretamente, poderemos sentir um enorme prazer transcendental. Existem muitos outros métodos que usam a energia da Lua e são muito benéficos. Os budistas não viajam de foguetes, mas, por meio de suas práticas, se sentam na Lua diariamente, recebendo sua calma e seu frescor, apreciando e absorvendo sua energia sutil.

Pergunta: Sabemos que devemos dar mais amor às crianças e não entupi-las de doces e presentes... mas as crianças são insaciáveis. Como saber os limites?

Rimpoche: Há muitas gerações, tornou-se um hábito dar coisas materiais às crianças. Como não é isso o que querem, elas se tornam insaciáveis. As crianças, de fato, não querem coisas materiais. O que querem é um ensinamento, uma disciplina que as eduque de forma suave e amável. Mas como o hábito de dar materialmente é muito antigo, modificá-lo é muito difícil.

Educar com disciplina é como ensinar alguém a dirigir um carro: damos as instruções de como fazê-lo e mostramos o que é correto e o que não é. Com freqüência, vemos crianças pedindo ininterruptamente coisas aos pais e eles sempre cedendo. Essa não é a forma correta de dar. Deveríamos educar com paciência. Necessitamos de muita paciência. Ao educar uma criança, podemos praticar as seis paramitas: generosidade, paciência, compaixão, esforço entusiástico, atenção e sabedoria.

Buddha foi um príncipe chamado Siddhartha. Seu pai lhe ofereceu três palácios com todas as regalias, para que nunca tivesse contato com qualquer tipo de sofrimento e assim não deixasse o reino em busca do caminho espiritual. Mas um dia ele visitou a cidade, fora do palácio, e deparou com três sinais de sofrimento: uma pessoa doente, uma pessoa idosa e uma pessoa morta. Siddhartha ficou tão chocado que decidiu sair em busca de um método eficaz para eliminar todo o tipo de sofrimento. Assim, vivenciou os problemas de todos os seres para aprender a solucioná-los. Observou os aspectos positivos e negativos de um mesmo problema e pôde solucioná-lo de forma efetiva. Depois, mostrou aos outros como fazer o mesmo.

Nós também necessitamos resolver nossos problemas dessa forma e por isso precisamos refletir mais profundamente. Talvez, um dia, vocês conheçam todos os ensinamentos do budismo e possam aplicá-los.

Nesse sentido, o ensinamento sobre "Os Sete Pontos do Treinamento Mental", chamado "Lo Jong" pode ser muito útil. Haverá aqui no Centro de Dharma um curso sobre "Os Oito Versos do Treino da Mente". É muito bom estudar esses versos, pois eles nos ajudam a reconhecer nosso verdadeiro amigo. Todavia, não basta compreendê-los com uma mente rígida e inflexível, pois nesse caso não pode haver transformação. Gueshe Dorje Sengue (Langri Thangpa) elaborou os versos no século XI. Ele foi uma manifestação de Buddha Amitabha.

Meu guru-raiz, Trijang Rimpoche, também é uma manifestação de Amitabha; isso indica uma boa conexão com Gueshe Dorje Sengue e seu ensinamento.

Os Oito Versos estão organizados junto com a sadhana de Avalokitesvara de forma muito compreensível para os ocidentais. Inicialmente vocês podem até aprendê-los no seu idioma, mas precisam de bênçãos para realizá-los. Eu irei dá-las.

"Os Sete Pontos do Treinamento Mental" foram elaborados por Gueshe Chekawa. Trata-se de um longo comentário filosófico sobre o texto de Gueshe Dorje Sengue "Os Oito Versos do Treino da Mente". Esse ensinamento assemelha-se a um ensinamento Nyngmapa chamado Logdje. Trata-se de uma prática muito eficaz para transformarmos nossas energias negativas em positivas.

Gueshe Dorje Sengue pertencia à ordem dos Khadampas, que quer dizer "não perder o significado de cada palavra", porque ela contém os ensinamentos de Buddha.

Os Khadampas diziam que o praticante do Treino da Mente pode ingerir veneno como faz o pavão, sem se

contaminar. Assim como o pavão transforma o veneno em brilho e cor para sua plumagem, o praticante do Treino da Mente pode transformar qualquer problema ou sofrimento no caminho para a Iluminação.
É disso que precisamos. Aprender a ingerir nossos venenos mentais e transformá-los em positividades. Assim nossos problemas diários poderão se transformar imediatamente em benefícios, tanto para nós quanto para os outros. Mas, pelo contrário, se nossa mente ingerir muito veneno sem saber como transformá-lo, tornaremo-nos cada vez mais ignorantes e seriamente doentes.
Vamos, agora, retomar nosso tema utilizando um outro exemplo: o cafezinho. O café nos traz muitos problemas. Eu, como tomo chá, não tenho problemas...
Quando bebemos muito café, o sangue fica efervescente, como coca-cola. Recebemos da nossa mãe um sangue muito limpo. O excesso de café agita os elementos do sangue; no momento em que tomamos talvez haja uma sensação boa, um pouco mais de energia; mas logo sentimos a necessidade de tomar outro... e aí começam os problemas. Por isso, é importante diminuí-lo. Nossa idéia fixa de tomar café nos impede de abandoná-lo por completo. Podemos, porém, tomá-lo mais fraco. Misturar água para que fique bem fraco. Assim a mente sentirá que está tomando café... mas um café mais fraco.
Eu nunca tomei café. Talvez seja bom. Mas penso que, como a droga, ele parece ser um amigo, mas na realidade é um inimigo. Afinal, o que é verdadeiramente um amigo? Essa pergunta pode ser feita em todas as nossas experiências cotidianas, pois é muito profunda. O que é verdadeiramente um amigo? O que tem a aparência de um amigo, mas é um inimigo?

As drogas se enquadram nesse caso. Esta manhã mostramos como os cinco sentidos vão perdendo a sua sensibilidade com o abuso do álcool, do cigarro e do café. O mesmo se dá com as drogas. Vimos como a mente, o corpo, os órgãos, a visão, o paladar e o olfato vão sendo destruídos. Ao ingerir uma droga surgem dificuldades de falar e escutar, o corpo fica fraco e a mente, confusa e nervosa. Então, qual é o benefício?

Por isso a droga é outro exemplo. A comunicação com a família daquele que a utiliza fica afetada. Ele causa muito sofrimento para sua família e para si mesmo. Além de criar esses problemas, também enfrenta dificuldades com a sociedade, com o governo e com a polícia. Os drogados vivem como ladrões, sempre com medo. Eles não conhecem realmente o prazer, porque estão sempre preocupados em estar sendo perseguidos. Sempre acompanhados de muito sofrimento e medo, e nunca se sentindo compreendidos.

Todo mundo necessita de calma e tranqüilidade. O sofrimento de uma pessoa viciada em drogas pode ser comparado ao sofrimento dos seres dos reinos inferiores.

Quantas doenças perigosas provêm das drogas e quanto sofrimento é causado entre amigos? Atualmente, até mesmo as crianças estão sendo afetadas por esse vício. Há muitas pessoas preocupadas com uma guerra mundial; entretanto, a droga já tem matado tanta gente e é a causa de doenças tão graves que pode ser considerada muito mais perigosa do que a terceira guerra mundial.

Hoje em dia muita gente usa drogas. Então, ela é algo que parece ser um amigo, que parece trazer benefícios. Esse é o problema. Ocorre a mesma coisa com nosso sentimento de apego. Parece ser algo benéfico para nós, parece ser nosso amigo. Na realidade, raramente compreendemos de fato que se trata de um inimigo. Esse é o problema. Algumas vezes, compreendemos mas não aceitamos. Falamos: "Sim, sim, mas...". Não mudamos nossas atitudes. Nossa mente é muito dura. Não aceita o verdadeiro benefício. Gostaríamos de ter benefício, faz parte da nossa natureza fazer coisas boas. Essa é a maneira correta de pensar, é a mente positiva. A mente negativa é aquela que diz: "Sim, sim, mas...". Nossa mente segue mais a influência da mente negativa do que a da mente positiva; é o nosso maior problema.

Por todas essas razões, necessitamos da autocura, isto é, precisamos discernir o positivo do negativo, o benéfico do maléfico. Temos de refletir: o que é nosso amigo, o que nos traz benefícios – muito ou pouco, temporários ou não, o que nos traz problemas.

Primeiro devemos compreender tudo isso com muita clareza. Depois é preciso nos despedir de nossos problemas. Então é que acontecerá, de forma prática, a verdadeira autocura.

Mas, se hoje simplesmente ouvirmos esses ensinamentos sem praticá-los, será difícil obtermos benefícios reais. Antes possivelmente não sabíamos como praticá-los, mas agora é diferente. Se compreendermos tudo o que foi dito hoje e mesmo assim não praticarmos, isso equivale a não compreender.

Temos de treinar a nossa mente a se desviar do negativo. Temos de refletir sobre nossos problemas, compreendê-los e nos decidir. Autocura significa decisão.

Vamos falar um pouco sobre o mantra:

Om Muni Muni Maha Muni Shakya Muniye Soha

É o mantra da autocura e, ao recitá-lo, podemos fazer algumas visualizações. Devemos compreender primeiro que todas as energias e interferências negativas provêm da falta de equilíbrio entre os quatro elementos que convivem no nosso corpo. São eles a terra, a água, o fogo e o ar. Assim sendo, devemos visualizar que a infelicidade mental – ou seja, ciúme, raiva, expectativas, ódio, inveja – e as negatividades de nosso corpo, palavra e mente são eliminados em forma de luz preta e opaca quando expiramos.

Quando inspiramos, imaginamos que as bênçãos de todos os Buddhas e Bodhisattvas penetram em nós na forma de luz branca. Dessa forma absorvemos a energia positiva dos quatro elementos, a divindade de longa vida e o poder dos remédios. Assim, teremos o corpo e a mente muito relaxados.

Outra possibilidade é cantar o mantra com o objetivo de criar uma proteção ao nosso redor. Com isso, as energias negativas externas são incapazes de nos perturbar e as energias positivas internas ficam impedidas de sair. Para que isso aconteça, devemos visualizar à nossa volta uma muralha de Dorjes, como se morássemos numa casa construída com a energia do Vajra. Se tivermos dificuldades nessa visualização, podemos imaginar que estamos envolvidos por uma camada radiante de luz branca proveniente da essência da bênção de Buddha. Essa energia tem o poder de nos proteger das energias negativas externas e de não permitir que nossa energia positiva interna se escoe. É uma prática muito efetiva.

Podemos igualmente visualizar a luz da essência de Buddha entre a musculatura e a pele de todo o nosso corpo. Enquanto visualizamos, recitamos o mantra de Buddha Shakyamuni:

Om Muni Muni Maha Muni Shakya Muniye Soha

Vejamos o significado:

Om: a tranqüilidade e a felicidade mental absoluta.

Muni: a determinação de renunciar ao Samsara, o desejo intenso de se livrar de todos os sofrimentos.

Muni: a determinação de manter a motivação de uma mente altruísta, a mente de Bodhichitta que deseja ajudar a todos.

Maha Muni: representa a visão correta da realidade, isto é, a percepção de que todos os fenômenos são de natureza vazia, ausentes de conceitos e que não possuem uma existência independente.

Shakya Muniye: representa o caminho secreto (tântrico), que é o mais veloz.

Milhares de Buddhas já vieram para o nosso mundo, porém Buddha Shakyamuni foi o único que transmitiu os ensinamentos tântricos.

Soha: quer dizer: "Por favor, dê-me estas realizações pelo benefício da cura".

Não é preciso ser budista para recitar e receber os benefícios do mantra. Se, por exemplo, tivermos dificuldades para tomar uma decisão, podemos rezar algumas vezes o mantra e observar que, algum tempo depois, algo aconteceu. Quando estivermos doentes e ingerirmos algum remédio, podemos rezar esse mantra. Isso nos trará muitos benefícios.

Pode acontecer que estejamos cantando o mantra sem nos dar conta de seus efeitos. Mas, internamente, ele está sempre atuando. Mesmo quando não percebemos ele atua dentro de nós.

Para atingirmos a Iluminação, isto é, para que sejamos seres totalmente realizados, é preciso que tenhamos fé total nessa aspiração.

Talvez não tenhamos fé total em nossa cura, mas é muito importante que não percamos a esperança para realizar a autocura.

Podemos usar esse mantra em qualquer situação. Até uma pessoa louca, que não entenda o significado das palavras, poderá ser beneficiada com a reza do mantra.

Principalmente neste século, as pessoas são muito curiosas. Querem saber e ter explicações para tudo, mas geralmente de forma superficial. Costumam se satisfazer com uma pequena explicação. Entretanto, se nossa curiosidade fosse verdadeira e profunda, seria muito mais interessante.

Buddha Shakyamuni abençoou esse mantra tornando sua energia muito forte, especialmente nos momentos de degeneração.

É muito difícil transmitir um ensinamento que possa ajudar de maneira correta. Por isso, a bênção dos mantras é um caminho, uma forma de ajudar e ensinar.

Ainda assim, existem pessoas que não acreditam nos mantras. Não faz mal. Mesmo não acreditando ou não tendo fé, pratiquem, porque haverá benefícios. A mente se tornará mais estável, os quatro elementos do corpo se equilibrarão e, então, será possível superar mais facilmente os obstáculos e qualquer sofrimento.

O mantra é um amigo espiritual, uma boa companhia. Neste século, os amigos sempre mudam, a cada momento temos novos amigos. A amizade tornou-se algo inconstante, é difícil encontrar amigos verdadeiros.

O mantra é permanente, sempre nos ajuda, é sempre uma boa companhia, um amigo muito próximo.

Buddha Shakyamuni ensinou muitos métodos de cura. A cura por meio do toque é um deles. Da mesma forma como quando um Lama abençoa tocando a cabeça do paciente com as mãos.

A tradição de abençoar com as mãos surgiu no tempo de Buddha. Seu irmão não tinha fé e sempre competia com Ele. Buddha, às vezes, tomava remédios para a digestão. Certa vez o irmão pediu ao médico que lhe desse o mesmo remédio que dava a Buddha. O médico respondeu que isso era impossível, pois somente os Buddhas podiam tomar alguns tipos de remédio e esse não era o caso dele. Como o irmão de Buddha ficou com muita raiva, o médico lhe deu uma dose dupla do remédio comum e ele começou a passar muito mal. Depois disso, o médico não conseguiu mais curá-lo. Preocupado, procurou Buddha pedindo sua ajuda. Este foi ver seu irmão, que se encontrava muito doente. Então, colocou a mão sobre sua cabeça e lhe disse: "Se eu não for um ser iluminado, não poderei te curar". Assim que tocou a cabeça do irmão, este imediatamente se acalmou e foi melhorando até ficar totalmente curado. Foi a partir daí que começou a tradição de abençoar, tocando a cabeça com a mão. Devemos pensar sobre tudo que foi dito hoje. Vocês devem refletir se isso é verdade ou não, se lhes traz benefícios ou não. Mas, para tanto, é preciso que pratiquem. Daí, então, esses ensinamentos serão realmente úteis. É impossível "dar" a realização como se fosse algo material, como um presente que damos a uma criança... Temos de realizar nosso trabalho pessoal, pensar internamente. Os remédios de ervas medicinais só podem nos proporcionar uma cura relativa. O verdadeiro remédio, o remédio absoluto, é a autocura.

Agora é importante que haja perguntas, isso nos trará mais benefícios.

Pergunta: Como podemos ajudar outras pessoas recitando os mantras?

Rimpoche: Recitando os mantras e dedicando a energia positiva acumulada. Devemos fazer a dedicação, pois não se pode ensinar o Dharma para todas as pessoas. Muitas não aceitam o mantra como um remédio, pensam que é algo estranho inventado pelos budistas. Outras acham os budistas esquisitos e meio loucos. Isso é um problema. Da mesma forma, muitos costumes do mundo ocidental são esquisitos para nós, tibetanos; então, isso significa que cada um precisa compreender tudo isso com sua própria mente.

Pergunta: Gostaria de saber alguma coisa sobre chakras. É sempre benéfico trabalhar com os chakras?

Rimpoche: Nosso corpo tem muitos chakras. Chakra quer dizer: "centro de energia". Há muitos chakras no corpo. Em geral, para que as pessoas entendam, mencionamos a existência de quatro, cinco ou seis chakras. Quando praticamos corretamente, os chakras ficam mais calmos, com mais energia e atuam melhor. Isso nos traz muitos benefícios. Mas, quando as obstruções físicas e os obscurecimentos mentais internos são numerosos, o fato de não sabermos como trabalhar com eles pode bloquear a energia deles, inutilizando seus possíveis benefícios.

Pergunta: Como atuam os remédios da medicina tibetana?

Rimpoche: Os remédios em geral vêm do Centro Médico de Dharamsala e são feitos de raízes, troncos, folhas e sementes medicinais. Porém, o que mais nos ajuda a curar é a bênção dada aos remédios.

Os remédios químicos, por exemplo, são feitos sem qualquer vinculação astrológica ou energética. Já os nossos remédios são preparados em momentos específicos, de acordo com a Lua, condições astrológicas e em datas determinadas. Além disso, esses remédios contêm a energia dos quatro elementos, equilibrada e abençoada pelos seres iluminados. Todos esses aspectos estão presentes nesses remédios naturais. Muitas outras condições espirituais são necessárias para que os remédios possam exercer a sua função de cura. Ao contrário do que ocorre com os remédios comuns, os tibetanos podem atuar na cura de doenças decorrentes do uso de magia negra ou de interferências externas negativas.

Pergunta: O que fazer quando estamos sob influência negativa?

Rimpoche: Para pessoas que estão sob influência negativa, é bom rezar o mantra OM MUNI MUNI MAHA

MUNI SHAKYA MUNIYE SOHA. Depois, dedicar a energia positiva assim gerada para o bem-estar da pessoa que está prejudicando você. Esse mantra é muito importante, porque todas as divindades e Buddhas que ajudam se originam em Buddha Shakyamuni. São aspectos das próprias qualidades de Buddha Shakyamuni que se manifestam nas diferentes formas de divindades e outros Buddhas. Todos se originam em Buddha Shakyamuni. A origem é uma só. Então, o que importa é chegar ao ponto principal. Às vezes necessitamos de um método pacífico, outras vezes de um método irado.

Pergunta: Algumas pessoas usam drogas para realizar um caminho espiritual e entrar em contato com outro tipo de energia...

Rimpoche: Muita gente usa droga pensando assim. Mas isso não é espiritualidade. A droga gera uma mente alcoólica. Se as drogas trouxessem benefício para o caminho espiritual, então todos nós poderíamos tomá-las e não haveria necessidade dos ensinamentos e das práticas. Se isso fosse verdadeiro e fácil, já haveria muita gente iluminada, sem ter de passar pelas dificuldades de escutar os ensinamentos e praticá-los.

Pergunta: E quando a pessoa usa a droga com a melhor das intenções?

Rimpoche: Ingerir uma dose de droga com a intenção de despertar a Bodhichitta pode levar a pessoa a sentir muito amor pelos outros ao seu redor. Todos vão lhe parecer muito simpáticos. Mas a pessoa pode pensar que esse estado é permanente e, depois que o efeito da droga terminar, ela sentirá muita raiva. Isso significa que nossa mente não pode controlar a droga.

No momento atual, quem controla a nossa mente é a nossa ignorância; quem tem poder sobre nossa mente é o veneno.

No mundo de hoje, há pessoas que fazem coisas que parecem benéficas, mas, na realidade, são danosas porque provocam muita poluição no ar e fazem mal a todos. Por isso existem também condições externas negativas que nos fazem mal. Muitas pessoas gananciosas por dinheiro fazem coisas que são danosas para a humanidade.

Antigamente Deus era Deus. Havia fé e crença em Deus, Buddha e Jesus. Isto era Deus. Mas agora, neste nosso século, é no dinheiro que as pessoas têm fé. É o "deus do dinheiro". Ocorre que a energia desse deus é muito diferente da energia de Deus. É uma energia pesada.

Neste século fala-se muito de liberdade. Dizemos que somos livres, mas isso não é verdade. Pois não estamos livres do poder do dinheiro. Estamos presos, agarrados e grudados nele. Onde está a liberdade?

Pergunta: O que posso fazer quando fico com raiva por sentir raiva?

Rimpoche: Vou dar um exemplo: se temos dinheiro no banco e o gastamos, temos de repô-lo. O mesmo acontece quando sentimos raiva. Precisamos compensar a energia da raiva em nossa mente. Assim, se sentirmos raiva durante um dia inteiro, precisaremos acumular méritos um dia inteiro também. Quando conseguimos transformar a raiva em mérito, estamos usando a própria raiva para acumular energia de mérito.

Temos um forte hábito de sentir raiva, mas, se acumularmos energia positiva, lentamente a energia negativa da raiva vai se enfraquecer. É importante cantar muitos mantras. Um dia a pessoa se cansa de sempre sentir raiva e aí a sua mente começará a se transformar.

Pergunta: Eu li num livro do Dalai-Lama que a percepção do vazio resolve todos os problemas. Então, qual é o método para alcançar o vazio? É só cantar o mantra Muni Muni?

Rimpoche: Para desenvolver a percepção da vacuidade é importante que se tenha a visão correta da realidade. Os mantras são métodos relativos, mas que também trazem benefícios para a mente. Eles não são a realização da vacuidade, são métodos relativos.

Pergunta: É possível resolver uma magia negra sem fazer uma outra magia negra?

Rimpoche: Sim, é possível; se você compreender a vacuidade, nenhuma magia negra o atingirá. É possível.

Pergunta: Eu gostaria de saber o que é o vazio.

Rimpoche: Muito bem. Um exemplo: Qual é o seu nome?

Resposta: Adriana.

Rimpoche: No nível relativo você é Adriana; você pensa que é bonita, sente fome, dorme, trabalha, se sente só e outras coisas mais. Mas, se você investigar, onde está a Adriana? Você pode, por exemplo, dividir seu corpo em diversos pedaços; qual desses pedaços é realmente a Adriana? Você não encontrará, não será possível encontrar o que é, verdadeiramente, a Adriana. Mas, na inter-relação corpo e mente existe alguém que se chama Adriana. Há muito que ser dito sobre esse tema. É um assunto de muita profundidade.

Os comunistas chineses, por exemplo, dizem que Buddha e Mahakala não existem, não são verdadeiros. Para os chineses as divindades do budismo não são verdadeiras. Temos aqui na nossa frente Tchenrezig, a manifestação da compaixão de todos os Buddhas. Os chineses, quando invadiram o Tibete, talhavam uma imagem como essa em muitos pedaços e perguntavam aos tibetanos: "Este pedaço é Tchenrezig? E este outro?". E os budistas respondiam: "Não, esta é a mão; não, este é o rosto". Dentro das estátuas existem muitas relíquias e mantras. Os chineses retiravam as relíquias e perguntavam: "O que é isso?". Os tibetanos respondiam que eram mantras escritos em papel. E os chineses perguntavam então: "Mas onde está Tchenrezig?".

Os chineses diziam aos tibetanos que os Lamas só traziam problemas para a mente deles. Naquele tempo, quando eles invadiram o Tibete, os Lamas não tinham a possibilidade de responder a tal acusação. Mas, a resposta é muito simples. Mao Tsé-tung foi um homem muito famoso.

Antigamente a China era um país muito rico e desenvolvido e agora é muito pobre. O que fizeram com o país? Isso foi feito por Mao Tsé-tung. Se cortarmos Mao Tsé-tung em pedaços, onde estará ele? Não o encontraremos. Mas, quando nos referimos ao seu nome, ele existe. O mesmo ocorre com a estátua de Buddha, só que uma estátua de Buddha pode nos abençoar.

Nós sempre dizemos: "Eu existo, eu existo". No entanto, não existimos de forma independente, mas somos o resultado de várias condições. Vacuidade significa: vazio de existência inerente.

Vamos cantar alguns mantras para finalizar este *workshop*. Vamos dedicar a energia positiva acumulada hoje a todos os seres sencientes.

MAITREYA
O BUDDHA DO AMOR UNIVERSAL, PRESENTE E FUTURO

Até o presente século as pessoas naturalmente sentiam amor, de uma forma limitada, pela sua própria família, amigos, sociedade e nação.

Hoje em dia até mesmo esse amor limitado está se perdendo rapidamente e essa perda da essência da vida e da energia de paz manifesta-se em nós, tanto interna como externamente, como perigosas e crescentes doenças psicológicas e físicas, guerra, fome, poluição e desastres ambientais.

Vendo a situação global de degeneração e desejando ajudar, Lama Gangchen Tulku Rimpoche mandou fazer muitas imagens do Buddha do Amor Universal Presente e Futuro, Maitreya. Através dos anos Ele recebeu vários sinais claros de que isso iria ajudar a trazer o amor que está faltando no coração da sociedade moderna e assim a criar as condições certas para aumentar o amor universal, a paz interna e a suprema Paz Mundial. Buddha Maitreya é a emanação do amor ilimitado e irá descer fisicamente até nosso mundo no futuro para curar a humanidade. É contudo possível unir nossos corações agora mesmo com essa energia de amor ilimitado, construindo e dando o poder às estátuas de Maitreya, aumentando assim nossa capacidade de amar por muitos tipos de amor, tais como amor afetivo, amor carinhoso e amor desejoso.

– Amor afetivo é manter todos queridos e próximos aos nossos corações.

– Amor carinhoso é cuidar de forma especial dos outros.

– Amor de desejo é amar com o poder pleno que faz todos os seres com os quais temos contato serem completamente felizes.

Do amor de desejo surge, espontaneamente, o grande coração caloroso de grande compaixão, e esse grande coração reflete-se no tamanho tradicionalmente grande das imagens de Buddha Maitreya.

Até agora Lama Gangchen encomendou cinco estátuas de Buddha Maitreya de oito pés de altura, quarenta pés de puro amor, ou cinqüenta pés de puro amor se forem considerados os halos. Essas cinco estátuas de Buddha Maitreya estão com múltiplas dedicações; por exemplo: em memória dos três grandes Maitreyas da província de Tsang, no Tibete, agora renascidos como as cinco estátuas de Buddha Maitreya. Dessas estátuas, as três primeiras foram oferecidas aos monastérios budistas tibetanos de Sera Latchi, de Sera Me Dratsang e de Sera Me Tsangpa Khangtsen, no sul da Índia. Elas foram dedicadas depois como guias de puro amor para o mundo inteiro, curando os corações de toda a humanidade e assim ajudando a todos, agora mesmo, a desenvolver a capacidade especial de paz interior combinada com calor, amor e Paz Mundial e com calor e amor universais.

Esses faróis de amor de Maitreya irão, tanto de forma grande como menor, curar o meio ambiente e os cinco grandes elementos, causando a regeneração da pura essência do espaço, vento, fogo, terra e água.

A fim de curar nosso planeta nos níveis interno, externo e secreto, precisamos amplificar a vibração desse amor de cura tanto quanto possível, construindo muitas imagens, pequenas e grandes, de Buddha Maitreya.

Nesse tempo de degeneração (Kaliyuga) não é possível, para a maior parte das pessoas, estudar os vastos ensinamentos de Autocura de Maitreya, tais como Abhisamayalamkara; portanto, precisamos estudar sua essência de uma forma moderna e acessível, a fim de receber pessoal e coletivamente corpo, palavra, mente, qualidades e ações de Maitreya. Todos os amigos e pacientes de Lama Gangchen são solicitados a verificar em sua própria experiência qual a porcentagem de amor que aumentou em sua "conta bancária dentro do coração" desde que os cinco Buddhas Maitreyas foram construídos e consagrados.

Todos são convidados a ajudar o projeto Maitreya da Lama Gangchen World Peace Foundation, que é dedicado ao desenvolvimento do Amor Universal, da Paz Interna e da Paz Mundial.

Este vigésimo segundo dia, do nono mês do ano do pássaro de água, o dia da descida de Buddha do Céu (dia 6 de novembro de 1993).

CURA ESPIRITUAL

Origem

O Dharma sagrado e a tradicional medicina tibetana baseiam-se nos ensinamentos de Buddha Shakyamuni, contidos nos Sutras e Tantras.

Nos Sutras, a disciplina médica ensina a anatomia, a identificação das doenças, as fórmulas de diagnósticos (por meio de diferentes leituras do pulso e humores etc.) e a farmacopéia específica desse sistema.

O tratado tântrico contém a essência do conhecimento e métodos experimentados por mestres espirituais que, sendo gênios, delinearam os primeiros séculos de nossa era.

Medicina do Corpo Físico

No campo médico, a fim de tratar de males físicos e mentais, os médicos tibetanos e Lamas Curadores usam extratos medicinais de plantas, minerais e pedras preciosas, combinados com um sólido conhecimento da interação entre a maior parte das energias sutis, das quais deriva a vitalidade de todo o organismo. O equilíbrio desse escudo energético está constantemente ameaçado pela instabilidade emocional que afeta a mente e ecoa no corpo. Não podemos cuidar de um e negligenciar o outro sem correr o risco de ver as aflições ressurgirem de uma forma ou de outra, seja em um curto ou longo período de tempo.

Medicina Tântrica

Esta é a verdadeira razão pela qual, além da medicina somática, alguns médicos tibetanos e especialmente Lamas Curadores fazem uso de métodos tântricos, que trazem modificações tanto no nível físico como no mental.

É desenvolvendo a capacidade de perceber as causas mais profundas de doenças, que estão além dos sintomas manifestados pelo corpo, que os mestres tântricos como Lama Gangchen podem curar nos dois níveis simultaneamente.

De acordo com o sistema budista, a mente que personaliza o indivíduo migra de uma vida para outra, ao mesmo tempo que gira num círculo vicioso.

"A fim de curar algumas doenças", Lama Gangchen explica, "devemos atingir as causas que as formam. Elas podem ser recentes ou podem residir profundamente no passado, antes desta vida, e isso requer habilidade para obter-se uma leitura clara e precisa. Essa clarividência, que para vocês, ocidentais, pode parecer estranha e miraculosa, não é assim para as pessoas de minha cultura. De forma semelhante, suas descobertas tecnológicas são extraordinárias para nós, tibetanos."

Hoje em dia a eletricidade e o eletromagnetismo são aceitos com naturalidade. Contudo, não faz muito tempo, era também para nós como vindos de uma terra misteriosa e semi-encantada. Muitos ainda se satisfazem ao simplesmente apertar um botão... Funciona!

Porém a chave para aqueles que querem encontrar Lama Gangchen não é acreditar em reencarnação ou nos ensinamentos de Buddha; é chegar a Ele com uma mente aberta.

Prática de Cura

A produção das pílulas usadas na medicina tibetana requer conhecimento preciso com relação à influência das estrelas e dos planetas sobre o crescimento, a colheita e a transformação das plantas medicinais em remédio.

A composição material dessas pílulas possui uma estrutura similar e compatível à estrutura do corpo humano. No entanto, o que lhes dá o poder de cura é gerado pela sabedoria, compaixão e habilidade mental do Lama Curador, que caracteriza a mente desperta de um mestre. Para realizar isso, ele entra num estado meditativo no qual corporifica diferentes aspectos do Buddha, como o Buddha da Medicina. Então o Lama Curador transpõe a sua faculdade desperta para qualquer veículo suscetível, servindo de meio de cura: podem ser as pílulas, a água, a respiração, a voz, a saliva, suas próprias mãos, fórmulas mântricas, seus pensamentos e visualizações.

Todas as ações de realização para o paciente são aparentemente simples; contudo, o que elas manifestam é parte de um poder luminoso único.

Essa meditação requer uma forte concentração unidirecionada. Como os raios de Sol que convergem para uma lente podem acender o fogo, de forma semelhante, o poder da focalização mental estimula a estrutura molecular das pílulas que, como baterias, acumulam essa pura energia espiritual emanada do Lama Curador.

Liberada no nosso organismo, ela transforma os fatores físicos e mentais doentes, dissolvendo-os em pura luminosidade.

Marcas residuais de emoções, cristalizações neuróticas, velhos medos que paralisam, frustrações emocionais, que se manifestam por meio de bulimia, álcool, cigarro, drogas etc. são o rico humo no qual brota a doença, transformando-se e crescendo em todas as formas de sofrimento.

"As medicinas ocidental e oriental", explica Lama Gangchen, "embora bastante avançadas em seus muitos métodos de cura, são em alguns casos incapazes de atingir resultados satisfatórios. Por quê? Porque há uma causa original não facilmente perceptível. Para sua identificação é necessário um método profundo."

"Precisamos de técnicas que ajudem a purificar o carma ou a energia negativos, acumulados em virtude de nossas ações inabilidosas passadas."

"Algumas pessoas não acreditam e não entendem as causas sutis das doenças, e por isso algumas vezes o tratamento não pode ser radical. Essas causas sutis de desarmonia provocam a manifestação de fortes energias negativas que por sua vez causam a doença."

"Para conseguir a cura, as causas das doenças podem ser vistas de várias maneiras:

1. Prevenção, o que compreende as regras de comportamento.
2. A imediata aplicação do método de cura, aos primeiros sintomas.
3. A transformação da doença em uma oportunidade para o crescimento espiritual.
4. O uso de mantras. Os mantras são fórmulas de oração, compostas por fonemas, que têm a habilidade de restabelecer o equilíbrio mental, muitas vezes alterado por emoções negativas como a raiva, o medo etc."

A fim de levar a corrente da consciência para um estado mais pacífico e claro, Lama Gangchen propõe, geralmente, a recitação regular de uma fórmula mântrica simples. Tendo assim pacificado essa mente, o paciente tem a oportunidade de ver mais claramente quando as emoções surgem e como acontece a desordem em seu comportamento, rompendo seu equilíbrio e saúde física.

CONHECENDO LAMA GANGCHEN

O que diferencia um Lama como Lama Gangchen de um homem comum é que suas atividades são invariavelmente orientadas para os outros, enquanto o homem comum está a maior parte do tempo fascinado consigo mesmo.

Tendo parado de se preocupar e cuidar de si mesmo e não tendo mais emoções perturbadoras que surgem dessa atitude autocentrada, o Lama pode ter uma concentração unidirecionada, manter sua atenção nos outros para assim curá-los. Esse desinteresse no ego artificial é o verdadeiro âmago da tradição do budismo tântrico. Quando o artífice desaba, a realidade se manifesta em sua pura nudez e a pessoa que a contempla é um homem verdadeiramente simples que não perde a oportunidade de rir, de amar a todos igualmente e também a tudo que a vida lhe oferece, seja agradável ou não. É uma felicidade simples e inabalável que Lama Gangchen tenta transmitir a todos por meio de sua terapia e de seus ensinamentos.

"Não se deixe contaminar pelo sofrimento e pela doença, mas sim pela alegria e pelo riso."

... Essas últimas palavras são sempre pronunciadas simultaneamente com o usual sorriso aberto de Lama Gangchen!

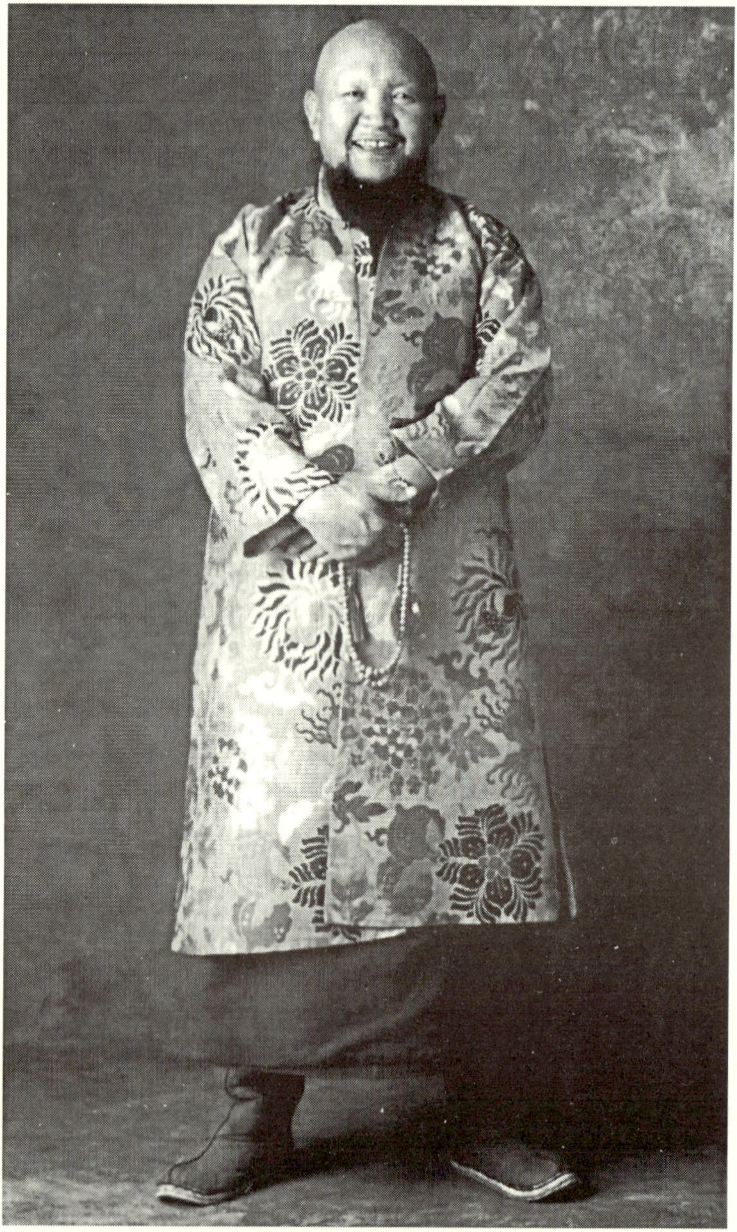

DEPOIMENTOS

$\mathcal{S}$eguindo os ensinamentos de Buddha, Lama Gangchen se dedicou, de todo o coração, ao serviço de todos, com conhecimento e capacidades aperfeiçoados através de um longo período de estudos e experiência. As mais altas autoridades tibetanas reconhecem o título de "Curador" à pessoa que une a capacidade de transformar tanto o conhecimento da medicina como as ciências sociais (esse processo está descrito brevemente nas páginas anteriores).

A arte de cura, tal como é transmitida nas regiões do Himalaia, é ainda vista como um enigma para nossos cientistas ocidentais. Contudo, não podemos contestar sua validade científica antes de estudar e experimentar suas diversas facetas.

Reconhecemos o fato de que essa disciplina médica ganhou suas credenciais através dos séculos e que, de acordo com os casos de cura reconhecidos, podemos considerá-la um método terapêutico baseado em substâncias naturais e em forças espirituais de amor, compaixão e sabedoria, bem como colocá-los em prática.

É, portanto, interessante ler atentamente uma seleção de cartas endereçadas a Lama Gangchen, testemunhos daqueles que foram curados por seu cuidado, alguns sendo casos que resistiram a todos os tratamentos clássicos.

Depoimentos de Pacientes

"Gostaria de lhe agradecer. Durante muitos anos eu tive um cisto no ovário. O médico disse que eu tinha de operar. Afortunadamente, encontrei você. Você me deu algumas pílulas para serem colocadas em um creme e usadas regularmente durante um mês.

Depois de um mês fui fazer um *check-up* no hospital em Argenta. Disseram-me que 90% do cisto tinha sido absorvido e que, portanto, não havia mais necessidade de intervenção cirúrgica.

Espero que seja possível para muitas pessoas encontrá-lo. Agradeço do fundo de meu coração."

Tina Gradenghi
Argenta (Ferrara) – Itália

"... O rapaz era epiléptico desde os 9 anos. A doença se manifestou de repente. Todos os médicos que o examinaram não conseguiram encontrar nenhuma causa e nenhum remédio.

Foram feitos vários eletroencefalogramas e todos deram alteração. Desde que ele começou a se tratar com Lama Gangchen começou a melhorar constantemente. Os médicos não conseguiram entender como isso estava acontecendo, mas eu sei que é devido ao tratamento de Lama Gangchen.

Agora, após mais de dois meses de tratamento, meu filho está quase curado. Não teve mais nenhuma crise e não apresenta mais nenhum problema..."

Luigi Cavalini
Cecina (Livorno) – Itália

"Quando eu tinha 19 anos (agora tenho 29), estava com uma dermatose que não conseguia curar; usei vários remédios e tratamentos, mas nada adiantou... era um problema genético.

Outras pessoas de minha família puderam curar a doença com remédios ocidentais, mas no meu caso minha pele parecia ser bem propícia para o desenvolvimento desse tipo de dermatose.

Depois de um tratamento de quarenta dias com os remédios tibetanos de Lama Gangchen, pela primeira vez depois de um longo período minha pele clareou. A cor da pele se tornou normal com leves sombras de lesões anteriores, mas espero que isso desapareça logo."

Severina Torre
Castel Maggiore (Bolonha) – Itália

"... Eu levei alguns amigos meus para Pomaia, com o filho que tinha um olho fixo sem movimento desde o nascimento. Lama Gangchen estava dando a iniciação de Tchenrezig, que purifica todas as doenças da visão e dos

olhos. Ele deu algumas pílulas aos pais da criança. A mãe seguiu as instruções do Lama e também recitou a sadhana de Tchenrezig diariamente.
Depois de um mês, os efeitos eram evidentes, a criança podia movimentar os olhos!..."

Corrado Corradi
Raffia – Itália

"Sou uma mulher incansável... em 1980 teve início meu sofrimento com um gradual inchaço do corpo. As mãos e os pés ficaram pretos. Em 1982 fui operada de *Stellectomia-sinpatictomia*; contudo, estava totalmente sem condições. Minha pele secou completamente e sentia muita dor, meus movimentos ficaram rijos com feridas nas juntas...

Fui levada a um hospital, onde foi diagnosticado uma esclerosedermia (doença dos vasos sangüíneos). Fui tratada com extratos de febre de malária e vasodilatadores. Muitas dores e poucos resultados positivos, fiquei reduzida então a 39 kg de ossos e conseqüentemente estava muito fraca. ... depois recebi o tratamento à base de cortisona e vasodilatadores, novamente com poucos resultados. Ainda sem condições, vomitava e tinha dores de estômago que me atormentavam; eu não tinha mais desejo de reagir...

Desde que tentei o tratamento com Lama Gangchen, estou tendo uma melhora geral. Desde o primeiro dia, senti como se estivesse sendo 'regenerada'. Em poucos dias o vômito e as dores de estômago foram desaparecendo.

Eu me sinto tão melhor! Desejo agradecer àquele que tornou isso possível, que me deu de volta a esperança e o desejo de viver."

Aurélia Fabretti
Gubbio (Perugia) – Itália

"A quem possa interessar,
Estou enviando esta carta para expressar meu sincero agradecimento e gratidão pela assistência médica e pela direção que recebi de Gangchen Rimpoche.

Minha saúde foi prejudicada por causa de um acidente que me deixou com vários machucados na cabeça e prejuízos neurológicos. Esses machucados diminuíram enormemente a minha qualidade de vida. Eu vivia com constantes dores físicas e agitações neurológicas.

Tomando os remédios tibetanos que Gangchen Rimpoche me receitou, notei uma forte melhora nos meus desequilibrios neurológicos. Essas seqüelas neurológicas foram documentadas por médicos em meus eletroencefalogramas.

Mais uma vez desejo expressar profundo agradecimento pela efetividade dos remédios tibetanos indicados por Gangchen Rimpoche.

Prof. A. Carli
Via della Pace 113
36100 Vicenza – Itália

Depoimentos Oficiais

"Assim como há práticas semelhantes em muitas partes do mundo, no budismo há também a prática de curar certas doenças por meio do poder esotérico e da meditação em relação a vários fatores internos e externos. Como resultado, separada do sistema médico, essa prática de cura também floresceu no Tibete. Gangchen Tulku Rimpoche, do Monastério de Sera Me, é um praticante dessa tradição bem conhecido por diferentes tipos de pessoas que ele curou. É nossa esperança que ele continue a ajudar os outros amplamente com essa tradição especial de cura."

Conselho de Negócios para Religião e Cultura de Sua Santidade O Dalai-Lama

Gangchen Kyishong
Dharamsala, 176215 (Distr. Kangsa, H.P.), Índia

"A quem possa interessar,

Nesta era decadente, em que muitos seres humanos se encontram com doenças pestilentas e desordens, induzidas por interferências de forças do mal dos oito tipos de espíritos, influências planetárias no mundo terrestre, das nagas, dos espíritos da terra do mundo subterrâneo, encontramos explicações nos textos médicos tibetanos de que, se pessoas santas e iluminadas, com altas realizações, aplicam seus Mantras-Vidya (fórmulas tântricas), esses males podem ser curados.

Assim, o Venerável Gangchen Tulku Rimpoche, um Mestre completamente qualificado e realizado do colégio monástico de Sera Me, está, com muita confiança, levando em frente essa prática por meio da aplicação de firme concentração meditativa, seguindo as linhagens e instruções supremas recebidas de vários mestres espirituais, em especial de Kyabje Yongzin Trijang Dorje Chang, tutor júnior de Sua Santidade O Dalai-Lama, e Kyabje Zong Dorje Chang. Ofereço minha fé e minhas orações sinceras para que isso possa ser de benefício para a raça humana."

Lady Doctor Lobsang Dolma Khankar
Médica Tibetana, Dharamsala, Índia

"A quem possa interessar,

Conheci o Reverendo Lobsang Thubten Trinley Yarpel (Lama Gangchen Rimpoche) há mais de três anos. Ele é meu Venerável Guru e mentor. É bem conhecido como especialista em curar doenças dos olhos e casos de paralisia. Curou muitos pacientes no Sikkim e Mysore. Ele é também muito conhecido como um Lama da Escola Mahayana e um especialista nos Tantras Vajrayana. Tem muitos seguidores no Sikkim, pessoas de todos os tipos e de diversas religiões."

Cap. G. K. Bakshi
Gantok, Sikkim, Índia

"Encontrei Lama Gangchen Tulku Rimpoche pela primeira vez em Bodhgaya, Índia, durante o inverno de 1985. Naquela época, ele já era muito conhecido entre os tibetanos e entre um crescente número de ocidentais, um Lama dotado da arte de curar.

Durante minha estada em Bodhgaya eu o vi, pessoalmente, curar vários de meus amigos. Vivi entre tibetanos na Índia e estou familiarizada com os métodos dos doutores tibetanos. Os métodos de Lama Gangchen Rimpoche são bem diferentes dos praticados pelos médicos do Oriente e do Ocidente. Fui sua tradutora na Europa e assim tive a oportunidade de vê-lo nas mais diversas situações. Ele era a última esperança de muitas pessoas. No mundo asiático não se estranha muito isso, mas para a média dos ocidentais era muitas vezes difícil de aceitar com naturalidade.

Eles sofrem do corpo, da mente ou de ambos e precisam procurar a ajuda de um Lama de uma terra estranha.

Vi que depois de seguirem, mesmo só um pouco, os tratamentos prescritos por Lama Gangchen Rimpoche, a saúde de muitas pessoas melhorou e a mente delas também se tornou muito mais pacífica. Isso porque ele não cura apenas as causas cooperativas do sofrimento, mas também as raízes subjacentes das doenças e dores físicas e mentais. Sua fonte principal do poder de cura deriva da força do mantra e do toque. Vi muitas pessoas agradecidas, que foram curadas rapidamente de doenças que as estavam fazendo sofrer por muitos anos.

Há uma coleção de, literalmente, milhares de cartas e depoimentos pessoais de toda parte do mundo que serve de prova válida e verificável do poder dos métodos de Rimpoche e a quantidade de sucessos que ele obteve em melhorar o bem-estar físico e mental daqueles que entraram em contato com ele. Essas cartas podem ser vistas e lidas por qualquer um que assim o deseje."

Dominique Nahir

REZA DE LONGA VIDA PARA LAMA GANGCHEN TULKU RIMPOCHE SHABTEN MOTSIG TCHIME TRISHING

GUIAL KUN THRINLEY TON DA SHON NU GAR
TCHI ME DUTSI THRI SHING DON GUE TCHING
DRO DROL NHYUR KYOB ARYA TA RE MA
YI SHIN KHOR LO TSE YI TCHOG DJIN DZO

LO TCHOG SANG PO PEL GUIUR TASHI PA
THUB TCHEN TEN PE THRIN LE YAR NGO DA
PHEL GUE TEN PE TSAM PE DZE PA TCHEN
PAL DEN LA ME SHAB LA SOL WA DEB

LO DE KUN SANG THUB GONG ZAB MO CHU
GUE DEN TEN PE NHING PO SHE DRUB KYI

DZIN PE THRIN LE YAR DE PHEL WA LA
DREM DZO DAM PE KYE TCHOG SHAB TEN SHOG

PHAG PO KHE PE SHE SHUNG GUIA TSO TCHE
GUE TAG TSON PE DRU YI LEG GAL TE
ZAB DON NOR BU DZO LA WANG DJOR WE
SHE NHIEN DE MON TCHOG TU SHAB TEN SHOG

PA YO RAWA TEN POR KYE SING PE
NAM DAK LAB THRIM SA HA KA RE DJON
SHEN PEN TRI DZANG TCHOK KYI KHOR YUK TU
TRO KHE SEM PA TCHEN POR SHAB TEN SHOK

KHE TSUL SUM GUI WÔ TONG BAR WE DZI
DRO LO KUN MONG MUN PA ZIG TCHE TCHING
GUE DEN LUG ZANG PE KAR DAB GUIA TSEL
GUIE TCHE SIPE DRON MER SHAB TEN SHOG

KYE TRENG KUN TU DREL WE SUNG MA TCHOG
PAL DEN MAK ZOR GUIAL MO LA SO PE
THRIN LE NAM SHI YI SEM DRUP PA DANG
SUNG KIOK YEL ME TAK TU TROK DZO TCHIG

DJAM PEL PA WO DORDJE TU KYI DRA
SHUG DRAK TREG PE ZUG SU DO PE GAR
TU DEN SUNG ME TSO WO TCHOG NE KIANG
YI MON DJI SHIN DRUP PE THRINLE DZO

A HERA DO NÉCTAR DA IMORTALIDADE

Reza de longa vida

Dança da jovem lua de outono de todas as atividades dos Buddhas conquistadores.
Primavera do jardim da Terra Oriental de Buddha.
Alegria manifesta, com sua hera do néctar da imortalidade.
Como a senhora Arya Tara libertando os seres migrantes do samsara, dando proteção imediata.
Como a Roda que Satisfaz os Desejos, Yishin Korlo, um tesouro que concede a Suprema Longa Vida.
Manifestando-se em vidas anteriores como Zangpo Tashi, o Auspicioso, Esplendor do Supremo Intelecto Nobre, surgindo agora como a Lua Crescente, para cumprir as atividades dos ensinamentos do Grande Sábio.
Lobsang Thubten Trinley Yarpel, atuando exatamente de acordo com a capacidade mental dos seres,

para seu desenvolvimento e amadurecimento, aos pés desse glorioso e esplêndido Lama, ofereço as minhas preces.

Quintessência da profunda intenção de Buddha, além da imaginação e positiva em cada aspecto. Lua Crescente de Atividades.

Detentor da sabedoria e prática no coração dos ensinamentos Guedempa.

Ao nosso mestre Lobsang Thubten Trinley Yarpel, Supremo Ser Puro e Insuperável, ofereço esta prece Shabten, para Sua duradoura presença entre nós.

Aquele vasto oceano – as fontes literárias com os ensinamentos dos sábios do Tibete –, no barco da fé constante e da perseverança, Ele cruzou da maneira mais excelente.

A este amigo espiritual e mestre, este Supremo Capitão Guia, que ganhou o comando sobre os tesouros das jóias dos significados profundos, ofereço esta prece Shabten, para sua duradoura presença entre nós.

Dentro do círculo da impecabilidade, como um jardim de mangueiras de Daharika, de treinamento absolutamente puro em disciplina moral, Ele cria os seres que são como crianças.

Ele sabe irradiar aos horizontes, em cada direção, o perfume do benefício aos outros.

A Esse grande herói, ofereço esta prece Shabten, para Sua duradoura presença entre nós.

Preciosa pedra dzi, chamejante, mil luzes da Sua prática dos três domínios de um sábio – explicando, debatendo, compondo, Ele dissolve os obscurecimentos das mentes dos seres e expande o jardim de Pundarika, com os cem lótus brancos dos finos ensinamentos de Ganden.

A esta fonte de luz para o mundo, ofereço este Shabten, para assegurar a Sua duradoura presença entre nós.

Suprema Mãe Guardiã, ligada à guirlanda das Suas vidas anteriores, gloriosa Rainha Palden Lhamo Magzorma e outros protetores, com as armas de guerra, por favor, realizai os quatro tipos de atividades e, sem hesitação, concedei gentil assistência, guardando e protegendo.

Manjushri, que se manifesta como o Herói Solitário, o Vajra Bhairava, e como o Inimigo do Tempo, o Yamari Vermelho, em sua dança age sob a forma soberba de poder irado Djampel Pawo. A Vós, Supremo Senhor, que presidis sobre os protetores poderosos, peço: por favor, realizai, com as Vossas atividades, os desejos de nossas preces.

※

Esta reza de longa vida foi escrita por Yongdzin Trijang Dordje Tchang Rimpoche, o tutor júnior de S. S. O XIV Dalai-Lama e Guru-Raiz de Gangchen Rimpoche.

Duas linhas (shloka) foram escritas por Kachen Zopa Rimpoche, o Abade do Monastério de Tashi Lumpo:
"Deixe Lama Gangchen Rimpoche, que cura as doenças do samsara, ter uma vida extremamente longa."

※

Monte – **Kailash** – Precioso e Sagrado
Coração do Mandala da Terra,

Morada do Infinito

Estrada de nosso encontro
sob as estrelas
com o destino.
– **Glória do Sol** –
– **Sabedoria da Lua** –
dois lagos
descansando a Seus pés
dos quais surge
a Fonte inesgotável.

Água
que liga os caminhos
que permeiam as quatro direções.

Terras feridas e estéreis
pacificadas
pela suavidade
de Suas mãos.

As ramificações de Seus braços
envolve a terra
espalhando-se
para todas as praias
de continentes opostos.

Das praias do oceano
surgem
as crescentes ondas
de sofrimento.

Encontro silencioso
de dois movimentos.

Água que purifica e pacifica,
Oferenda Sagrada
àqueles desejosos de Amor,
na procura da Eternidade.

M. Hamel
Primavera de 1988

FOTOS

*1987 – Sua Santidade
O Panchen Lama*

*13 de janeiro de 1993 –
Lama Gangchen
conhece Sua Santidade
O Papa*

4 de julho de 1992 – Milão – "Palazzo Stelline" – Primeiro Seminário Internacional para uma troca entre os Sistemas de Medicina Tibetana e Ocidental

Julho de 1992 – Ulan Bator – "Puja para a Paz Mundial"

15 de agosto de 1992 – Katmandu, Nepal – "Puja para a Paz Mundial"

15 de agosto de 1992 – Katmandu, Nepal – Lama Gangchen durante o Puja para a Paz Mundial"

21 de agosto de 1992 – Katmandu, Nepal – "Puja para a Paz Mundial" – Comunidade Tamang

Maio de 1993 – Madri, Espanha – "Puja para a Paz Mundial"

Maio de 1993 – Torino, Itália – Vesak

Maio de 1993 – Torino, Itália – Autocura com Lama Gangchen durante o Vesak

1993 – Praça Castello, Milão, Itália – Lama Gangchen durante a "Corrida da Paz de 1993"

Lama Gangchen Rimpoche

1993 – Mongólia – Monastério de Ames Baizlaan – Encontro entre o Presidente da Mongólia e Lama Gangchen Rimpoche

1993 – Mongólia – Inauguração do Monastério de Ames Baizlaan

*Outubro de 1993 –
Milão, Itália –
Encontro com Padre
Eligio do "Mondo X"*

Setembro de 1993 – Bolonha, Itália – Feira de Estilo de Vida e Comidas Naturais e Saudáveis

CERTIFICADOS

Sociedade Cultural Sermey Dratsang

> **SERMEY DRATSANG CULTURAL SOCIETY**
> (Registered under Karnataka Societies Registration Act 1965 No. 2/1987-1988.)
>
> Telephone No.:276
> Telex:
> Grams:
>
> Sera Monastic University.
> P.O. Bylakuppe-571104 Mysore Dist.
> Karnataka State, INDIA
>
> Date, January 1, 1992
>
> To Whom it May Concern:
>
> I am pleased to provide this letter of recommendation and qualifications for Venerable Lama Gangchen Tulku Rinpoche, whose legal name is Lama Shrestha Thinle Yarpel.
>
> Sera Mey Tibetan Monastic University is one of the largest and most prestigious monastic universities in the world. Ven. Gangchen Rinpoche completed his geshe degree, the Rig Ram Tamchen title, at the University on the 15th day of the 5th month (on the holiday known as Chanchen Choeche, or Nirvana Day) of the Tibetan year, corresponding to 1970. Completion of the course of study at Sera Mey Monastic University is extremely difficult and marks a high level of spiritual and scholastic achievement, more than equivalent to a doctorate degree in a Western university.
>
> Ven. Gangchen Rinpoche has for his geshe degree studied the following subjects: Prajnya Paramita (the Perfection of Wisdom); Madhyamika (Middle-Way Philosophy); Abhidharma (Buddhist psychology and epistemology); Vinaya (ethics); and Pramana (Buddhist logic). He has also learned the tantric or secret teachings of Buddhism.
>
> Prior to this, Ven. Gangchen Rinpoche studied at the Gangchen Monastery, and also at the original Sera Monastic University, in Tibet. Later, at Varanasi in India, he studied the healing practices of Tibetan medicine under the Ven. Zong Rinpoche.
>
> I am pleased to provide this letter of qualifications for Ven. Gangchen Rinpoche, and would be happy to provide any further information whenever needed.
>
> Sincerely yours,
>
> Khen Rinpoche Geshe Lobsang Tharchin
> Abbot, Sera Mey Monastic University

A quem possa interessar,

Estou muito satisfeito por outorgar esta carta de recomendação e qualificações para o Venerável Lama Gangchen Tulku Rimpoche, cujo nome legal é Lama Shrestha Trinley Yarpel.

A Universidade do Monastério Tibetano de Sera Me é a maior e mais prestigiada das universidades monásticas do mundo. Venerável Gangchen Rimpoche completou o seu grau de Gueshe (professor em filosofia tibetana), o maior título Ram Tamchen, nesta universidade no dia 15 do quinto mês (no feriado conhecido como Chanchen Choeche, o Dia do Nirvana) do ano tibetano, que corresponde ao ano de 1970. Completar o curso de estudos na Universidade Monástica de Sera Me é extremamente difícil e demonstra um alto grau de realização espiritual e escolástica, mais do que o equivalente a um grau de doutorado em uma universidade ocidental.

O Venerável Gangchen Rimpoche teve de estudar, para receber o grau de Gueshe, as seguintes matérias: Prajnyaparamita: a perfeição da sabedoria; Madhyamika: filosofia do caminho do meio; Abhidharma: psicologia e epistemologia budistas; Vinaya: ética; e Pramana: a lógica budista. Aprendeu também os ensinamentos tântricos ou secretos do budismo.

Primeiramente o Venerável Gangchen Rimpoche estudou no Monastério de Gangchen e também no Monastério de Sera original, no Tibete. Mais tarde, em Varanasi, na Índia, estudou as práticas de cura da Medicina Tibetana com o Venerável Zong Rimpoche.

Estou satisfeito por outorgar esta carta de qualificações a Lama Gangchen Rimpoche e ficaria feliz de prover-lhe qualquer informação futura sempre que necessário.

Sinceramente,

Khen Rimpoche Gueshe Lobsang Tharchin
Abade da Universidade Monástica de Sera Me

Conselho dos Negócios Religiosos e Culturais de Sua Santidade O Dalai-Lama

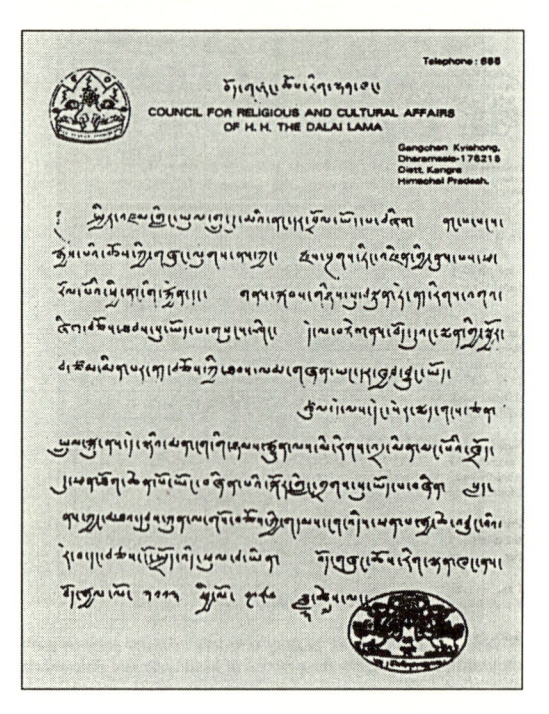

Assim como há práticas semelhantes em muitas partes do mundo, no budismo também existe a prática de cura de certas doenças por meio dos poderes do esoterismo e da meditação, relativos a vários fatores internos e externos. Como resultado, além do sistema médico, essa prática de cura também floresceu no Tibete.

Gangchen Rimpoche, do Monastério de Sera Me, é um praticante dessa tradição e é muito conhecido pelos mais variados tipos de pessoas que Ele vem curando. Temos a esperança de que Ele continue a beneficiar pessoas amplamente com essa tradição especial.

Dhardo Tulku Rimpoche Lharampa

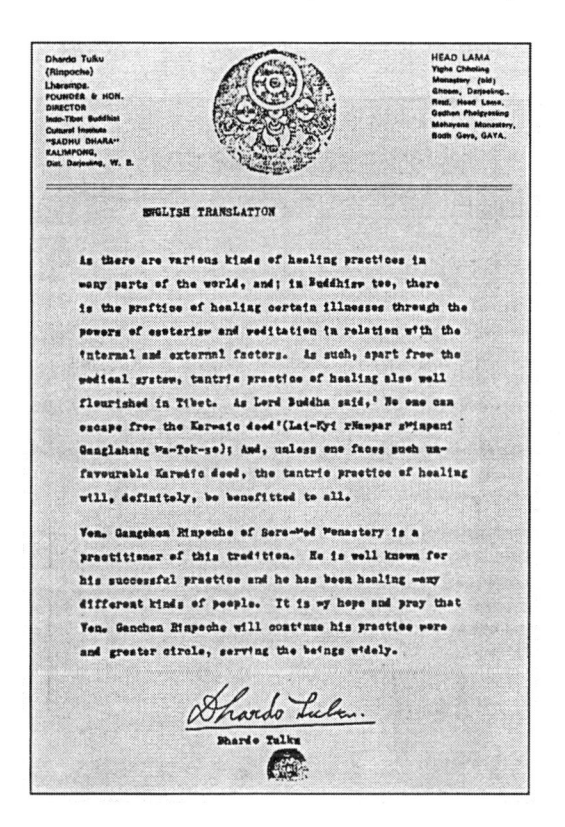

> **ENGLISH TRANSLATION**
>
> As there are various kinds of healing practices in many parts of the world, and; in Buddhism too, there is the practice of healing certain illnesses through the powers of esoterism and meditation in relation with the internal and external factors. As such, apart from the medical system, tantric practice of healing also well flourished in Tibet. As Lord Buddha said,' No one can escape from the Karmic deed'(Lai-Kyi rNwapar sMinpani Ganglahang Ma-Tok-so); And, unless one faces such unfavourable Karmic deed, the tantric practice of healing will, definitely, be benefitted to all.
>
> Ven. Gangchen Rinpoche of Sera-Med Monastery is a practitioner of this tradition. He is well known for his successful practice and he has been healing many different kinds of people. It is my hope and pray that Ven. Ganchen Rinpoche will continue his practice more and greater circle, serving the beings widely.
>
> *Dhardo Tulku*

Assim como no mundo existem vários tipos de práticas de cura, no budismo há também. Existem práticas de curar certas doenças por meio do esoterismo e da meditação em relação a fatores internos e externos. Dessa forma, além do sistema médico, a prática tântrica de curar também floresceu no Tibete. Como o Senhor Buddha disse: "Ninguém pode escapar do carma realizado (Lai-Kyi rNwapar sMinpani Ganglahang Ma-Tok-so)" e, ao enfrentar o carma desfavorável, a prática tântrica de cura irá, definitivamente, ser benéfica para todos. Gangchen Rimpoche do Monastério de Sera Me é um praticante dessa tradição. Ele é muito conhecido por essas práticas bem-sucedidas e tem curado os mais diferentes tipos de pessoas. Eu espero e rezo para que O Venerável Gangchen Rimpoche continue ainda mais Sua prática em um círculo maior, servindo amplamente todos os seres.

Dhardo Tulku

Dekyi Khangkar
Instituto de Medicina Tradicional Tibetana

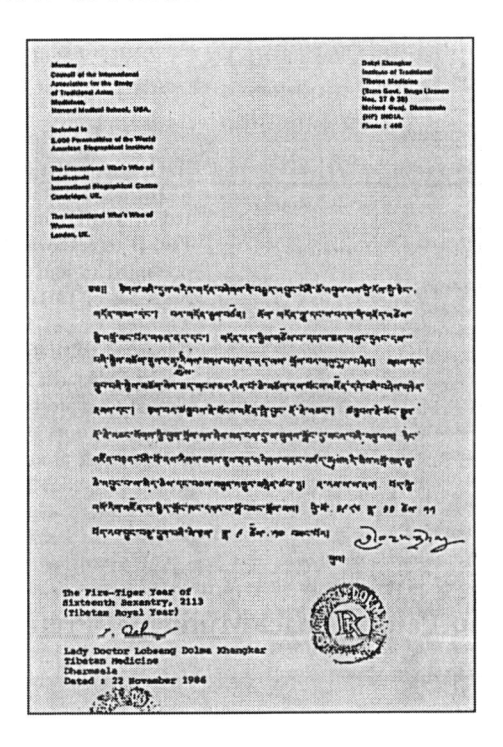

A quem possa interessar,

Nesta era decadente, em que muitos seres humanos se encontram com doenças pestilentas e desordens, induzidas por interferências de forças do mal dos oito tipos de espíritos, influências planetárias no mundo terrestre, das nagas, dos espíritos da terra do mundo subterrâneo, encontramos explicações nos textos médicos tibetanos de que, se pessoas Santas e Iluminadas, com altas realizações, aplicam seus Mantras-Vidya (fórmulas tântricas), esses males podem ser curados.

Assim, o Venerável Gangchen Tulku Rimpoche, um Mestre completamente qualificado e realizado do colégio monástico de Sera Me, está, com muita confiança, levando em frente essa prática por meio da aplicação de firme concentração meditativa, seguindo as linhagens e instruções supremas recebidas de vários mestres espirituais, em especial de Kyabje Yongzin Trijang Dorje Chang, tutor júnior de Sua Santidade O Dalai-Lama, e Kyabje Zong Dorje Chang. Ofereço minha fé e minhas orações sinceras para que isso possa ser de benefício para a raça humana.

Lady Doctor Lobsang Dolma Khankar
Médica Tibetana, Dharamsala, Índia

Secretaria de Estado do Vaticano

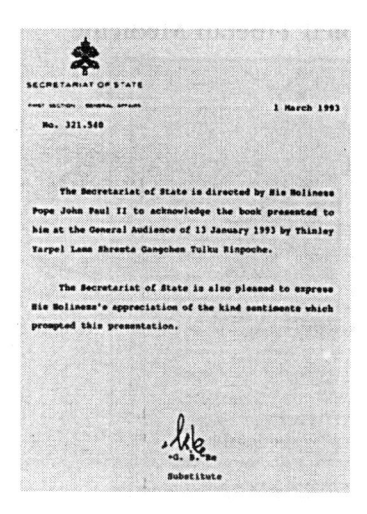

Esta Secretaria de Estado dirigida por Sua Santidade O Papa João Paulo II reconhece o livro que Lhe foi presenteado na Audiência Geral de 13 de janeiro de 1993 por Lama Shrestha Trinley Yarpel Gangchen Tulku Rimpoche. A Secretaria de Estado está também feliz por expressar a apreciação de Sua Santidade pelos bons sentimentos que esse livro desperta.

G. B. Re. Substituto

Centro de Medicina Tibetana Kunphen

KUNPHEN TIBETAN MEDICAL CENTRE

Tel: 213820

P. O. BOX NO. 3428
KATHMANDU, NEPAL.

Date. 4th March. 1991

TO WHOM IT MAY CONCERN

This is to certify that Ven. T. Y. Lama Gangchen Tulku Rinpochi is a renowned Tantric Healer from Tashi Lhunpo Monastery and Geshi in Buddhist Philosophy from Sera-Med Buddhist university. He is also a Physician in Traditional Tibetan Medicine. Ven. Gangchen Rinpochi has been travelling to many countries in the East and West since 1970 and achieved great success in relieving the sufferings of people from various symptoms. Ven. Rinpochi possessess all the qualities to be a Master Healer.

I, therefore sincerely pray and wish him best success in future with his practises in relieving the sufferings of our human brothers and sisters.

May Lord Budhas bless all the Sentient Beings to remain in Peace, Happiness and be free from sufferings.

With much respect and Tashi Belek.

Yours Sincerely,
Dr. Kunsang Phendok.

KUNPHEN AUSHADHI UDYOG
POST BOX NO. 3428
KATHMANDU, NEPAL

A quem possa interessar,
Isto é para certificar que o Venerável T. Y. Lama Gangchen Tulku Rimpoche é um renomado Curador Tântrico do Monastério Tashi Lumpo e Gueshe na Filosofia Budista da Universidade Budista de Sera Me. Ele é também um médico da Medicina Tradicional Tibetana. O Venerável Gangchen Rimpoche tem viajado a muitos países orientais e ocidentais desde 1970 e obteve grande sucesso em aliviar o sofrimento de pessoas com vários sintomas. O Venerável Rimpoche possui todas as qualidades para ser um Mestre Curador.

Eu, portanto, rezo e desejo sinceramente o Seu maior sucesso no futuro, com Suas práticas aliviando sofrimentos de nossos irmãos e irmãs humanos.

Que o Senhor Buddha abençoe todos os seres sencientes a permanecerem em Paz, Felicidade e Livres do Sofrimento.

Com muito respeito, Tashi Delek.
Sinceramente,

Dr. Kunsang Phendok

Academia de Energia — Ciências Informativas — Moscou, Rússia

PROPOSAL

The initiative for establishing an international, non-political, non-profit foundation arose from an understanding shared in a discussion held in Moscow, Russia on 1/9/92 between Lama Gangchen Tulku Rinpoche, representatives of Lama Gangchen World Peace Foundation, Accademy of Energy-Informative Sciences, Institute of Ecology of Human Being; observing:
- that the future could face severe problems of degeneration,
- that high levels of technology have been reached, yet that this has not brought peace and happiness to the people,
- that many cures have been found for different physical diseases, but not sufficient to cure the mental dis-ease that many people are facing in modern society,
- that many methods of entertainment have been created, yet many of them create aggresivity and adversion to others,
- that levels of criminality have increased.

Together we share the "universal responsibility" for the health and happiness of all living beings in this precious world.

We propose to extend our efforts in:
1/ Teaching methods for prevention from destructive and spiritual influences, which create the causes and conditions of physical and mental sufferings.
2/ Healing of mental disorders, physical diseases, sufferings and imbalances.
3/ Research in examining "diseases", specific to our modern society.
4/ Research of the potential of the human body and mind.
5/ Finding qualified teachers for educating people the methods of self-healing and self-protection.

The initiative group will appoint two co-presidents in Russia and abroad.

The Co-presidents will represent the interests of future foundation in all countries, and will organize a meeting with all, interested in establishing this foundation within the next year, they will work out the programme of future activities of this foundation.

The Co-presidents will present this foundation's interests to the UNESCO in order to set up a new international programme on self-healing and self-protection.

Co-president
Yuri Jivljeuk

Academy of Energy-Informative Sciences
Bolshoi Chudov Rd.
Moscow, Russia 119119
Ph.: 247-00-28
Fax: 230-37-11, 120-43-05

Honourable president
Lama Gangchen Tulku Rinpoch

Lama Gangchen World Peace Foundation
Via Marco Polo, 13
20124 Milan, Italy

Proposta

A iniciativa para estabelecer uma fundação internacional, não política, sem fins lucrativos, surgiu de um acordo compartilhado na discussão em Moscou, Rússia, em 9/1/1992, entre Lama Gangchen Tulku Rimpoche da Fundação Lama Gangchen Para a Paz Mundial, a Academia de Energia-Ciências Informativas e o Instituto de Ecologia dos Seres Humanos, observando:

– Que o futuro poderá enfrentar problemas severos de degeneração.

– Que os altos níveis de tecnologia alcançados não trouxeram paz e felicidade para as pessoas.

– Que muitas curas foram encontradas para diferentes doenças físicas, mas não foram suficientes para curar as doenças mentais que muitas pessoas estão enfrentando na sociedade moderna.

– Que muitos métodos de entretenimento foram criados, mas muitos deles provocaram agressividade e aversão.

– Que os níveis de criminalidade aumentaram.

Juntos dividimos a "responsabilidade universal" para a saúde e felicidade de todos os seres vivos deste mundo.

Nós nos propomos a estender nossos esforços para:

1. Ensinar métodos para evitar influências destrutivas e espirituais, que criam as causas e condições dos sofrimentos físicos e mentais.

2. Curar desordens mentais, doenças físicas, sofrimentos e desequilíbrios.

3. Pesquisar "doenças" em estudo, específicas da sociedade moderna.

4. Pesquisar o potencial físico e mental do ser humano.

5. Encontrar professores qualificados para ensinar os métodos de autocura e autoproteção.

O grupo inicial apontou dois co-presidentes na Rússia e no exterior.

Os co-presidentes irão representar os interesses da fundação futura em todos os países e organizar um encontro com todos os interessados em estabelecer essa fundação no próximo ano. Vão organizar o programa das atividades futuras dessa fundação.

Os co-presidentes irão apresentar à Unesco os interesses da fundação a fim de estabelecer um novo programa internacional de autocura e autoproteção.

Prefeitura Municipal de Campos do Jordão

Prefeitura Municipal da Estância de Campos do Jordão
ESTADO DE SÃO PAULO

TO THE PUBLIC:

    I hereby transcribe the following Decree dated today, and issued by the Municipal District Prefect of Campos do Jordao, for public knowledge:
    <u>Decree No 2.883/93 dated this 23rd of March 1993.</u>
Declaring Official Guestship to the Municipality.
    Jao Paulo Ismael, Municipal District Prefect of Campos do Jordao, by the powers confered to him by law:

    Considering He realized the 1st Seminar on Medicinal plants ever to be held in Campos do Jordao, from the 25th to the 28th of March, 1993;
    Considering His high degree of philosophical knowledge on Tibetan Medicine, and His sacred curing methods;
    Considering that for the seventh time already, He comes to our city to give teachings;

DECREES :
    <u>Article No 1</u> - **Venerable Lama Gangchen Rinpoche** is declared Official Guest of the Municipality of Campos do Jordao, during the period of the 26th to the 28th of March 1993;
    <u>Article No 2</u> - This decree will be validated on the date of its publication.

    Municipal Prefecture of the Campos do Jordao District, this Twenty-Third day of March in the year Nineteen Hundred and Ninety-Three

JOÃO PAULO ISMAEL
Municipal Prefect

Published in accordance with all legal formalities, on the 23rd of March 1993.

Ao público:
Por este meio transcrevo o seguinte decreto, na data de hoje, e expedido pela prefeitura municipal de Campos do Jordão, para o conhecimento público:
Decreto nº 2.883/93 de 23 de março de 1993.
Declaração de hóspede oficial do município.
João Paulo Ismael, prefeito municipal da cidade

de Campos do Jordão, usando do direito que a lei lhe confere:

Considerando que Lama Gangchen realizou o primeiro seminário de plantas medicinais em Campos do Jordão, do dia 25 ao dia 28 de março de 1993;

Considerando o Seu alto grau de conhecimento filosófico da medicina tibetana e Seus métodos sagrados de Cura;

Considerando que já pela sétima vez ele veio a nossa cidade para dar ensinamentos;

Decreto:

Artigo nº 1: Declaro o Venerável Lama Gangchen Rimpoche hóspede oficial do município de Campos do Jordão no período de 26 a 28 de março de 1993;

Artigo nº 2: Este decreto entrará em vigor na data de sua publicação.

Prefeitura do Município de Campos do Jordão, dia 23 de março de 1993.

João Paulo Ismael
Prefeito Municipal

Monastério de Gangdan Tekchenling
Ulan Bator – Mongólia

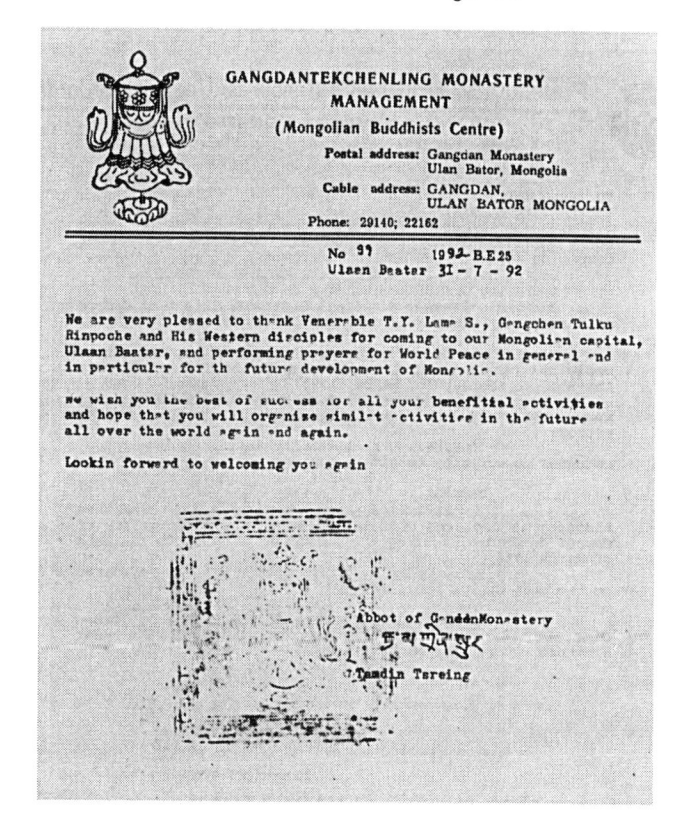

> **GANGDANTEKCHENLING MONASTERY**
> **MANAGEMENT**
> (Mongolian Buddhists Centre)
>
> Postal address: Gangdan Monastery
> Ulan Bator, Mongolia
> Cable address: GANGDAN,
> ULAN BATOR MONGOLIA
> Phone: 29140; 22162
>
> No 99   199?-B.E 25
> Ulaen Beater 31 - 7 - 92
>
> We are very pleased to think Venerable T.Y. Lama S., Gangchen Tulku Rinpoche and His Western disciples for coming to our Mongolian capital, Ulaan Baater, and performing prayers for World Peace in general and in particular for the future development of Mongolia.
>
> We wish you the best of success for all your benefitial activities and hope that you will organise similat activities in the future all over the world again and again.
>
> Lookin forward to welcoming you again
>
> Abbot of Gandan Monastery
> Tamdin Tsreing

Estamos muito felizes e agradecidos ao Venerável T. Y. Lama S. Gangchen Tulku Rimpoche e seus discípulos ocidentais por terem vindo à capital da Mongólia, Ulan Bator, e feito orações pela Paz Mundial e para o futuro desenvolvimento da Mongólia.

Desejamos-lhe um grande sucesso em todas as suas benéficas atividades e esperamos que Lama Gangchen organize atividades semelhantes no futuro em todo o mundo, cada vez mais.

Aguardamos ansiosamente recebê-lo outra vez.

Abade do Monastério de Gangdan
Tamdin Tsering

Embaixada da Itália em Katmandu

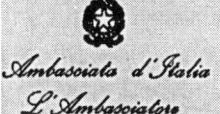

Ambasciata d'Italia
L'Ambasciatore

Kathmandu, 26th August 1992.

Very Reverend
Lama Ganchen Rimpoche
Kathmandu

First, let me express my warmest thanks for kindly granting my wife and I the permission to share with You and all Buddhist audience the "World Peace Puja", that was so successfully carried out on 15th August 1992 at the "Blue Star Hotel", as well as to assist to the interesting ceremony performed by the 'oracle' at Your Residence.

As for the short report concerning my personal impression of the "World Peace Puja", I would like to confirm what I have already mentioned in my speech made in the same occasion, that is "it is never too late to talk peace"", and it is always necessary to do so, for the welfare of all human beings.

I think the ceremony at the "Blue Star Hotel" was perfect in all details and sincerely moving, being the cause of world peace deeply felt by all participants.

Accept please, with all my thanks, my deepest regards,

(Giovanni CIRILLO)
Ambassador of Italy
Dean of the Diplomatic
Corps in Kathmandu.

Reverendíssimo
Lama Gangchen Rimpoche
Katmandu

Em primeiro lugar deixe-me expressar os meus mais calorosos agradecimentos por ter concedido a mim e a minha esposa a permissão de compartilhar com você e toda a audiência budista no "Puja da Paz Mundial", que se realizou com grande sucesso no dia 15 de agosto de 1992 no Hotel Blue Star, e também por assistir à interessante cerimônia realizada pelo "oráculo" em sua residência.

Quanto ao curto relato referente à minha impressão pessoal do "Puja para a Paz Mundial", quero confirmar o que já mencionei em meu discurso feito na mesma ocasião, ou seja, que "nunca é tarde demais para se falar de Paz" e é sempre necessário fazer isso, para o bem de todos os seres humanos.

Acho que a cerimônia do Hotel Blue Star foi perfeita em todos os detalhes e sinceramente comovente, sendo a causa da Paz Mundial profundamente sentida por todos os participantes.

Por favor, aceite, com toda a minha gratidão, a minha mais profunda consideração,

Giovanni Cirillo
Embaixador da Itália em Katmandu

GRUPOS DE ESTUDO E CENTROS DE AUTOCURA E PAZ INTERIOR DE LAMA GANGCHEN

Alemaniia
Shide Lam
Hochstr. 17, 64283, Darmstadt, Germany
Tel.: +49-6151-421098

Yeshe Lam Chen
Knorrsts. 66A, 80807, Munich, Germany
Tel.: +49-89-3599778

Argentina
Self-Healing and Inner Peace Education Study Group
c/o French 2769, Buenos Aires, Argentina. Tel.: +54-1-8-55342

BÉLGICA

Maitreya House
37, Rue du Châtelain, 1050, Bruxelas, Belgium
Tel.: +32-2-6487576/fax: +32-2-6473725

Snowlion
52, Place St. Antoine, 1040, Bruxelas, Belgium
Tel: +32-2-6460979

BRASIL

Centro de Dharma da Paz Shi De Choe Tsog
Rua Aimbere, 2008 – CEP 01258-020, São Paulo, Brasil
Tel./fax: +55-11-38714827 – e-mail: darmapaz@ig.com.br
www.centrodedharma.com.br

Associação de Artes Curativas Himalaia, Amazônia, Andes
São Paulo, Brasil. Tel.: +55-11-3812-1594
e-mail: aachaa@uol.com.br

Kuryuk Jamtse Ling – Meio Ambiente de Amor e Compaixão
Rua do Comércio, 115, sala 7 – CEP: 69055-000
Manaus, Brasil. Tel.: +55-92-236-4763
e-mail: daisycamargo@uol.com.br

Grupo de Autocura "A Porta Secreta da Paz"
Rua Voluntários da Pátria, 450, ap. 602 – CEP 22270-010
Rio de Janeiro, Brasil. Telefax: +55-21-527-9085
e-mail: gangchen@esquadro.com.br

Pase Drala
Largo das Neves, 12 – Santa Teresa – CEP 20240-040
Rio de Janeiro - RJ
Tel.: (0xx21) 252-3777 – e-mail: pasedrala@osite.com.br

CHILE

Centro de Dharma Sangye Menkhang
Bustos, 2528 – Providencia, Santiago, Chile
Tel.: +56-2-274-4374 – Fax: +56-2-2066105
e-mail: mira_valle@yahoo.com.
Att: Heidi Dettwiler

ESPANHA

Lama Gangchen World Peace Foundation (Main Office)
c/ Diego de Leon, 20-2- izq, 28006, Madrid, Spain
Tel./fax: +34-1-4311790

Sangye Menkhang
Avda. Velázquez 9, portal 16 E2, 29003 Málaga, Spain
Tel./fax: +34-52-356625

Shide Sango
c/ Penna Huecas 6, 45111 Cobisa, Toledo, Spain
Tel: +34-25-293682

Environment and Peace
Avda. Pablo Inglesias 8 – 5C Ed. Tauro, 04003, Almeria, Spain
tel: +34-50-256046/fax: +34-50-256046

ESTADOS UNIDOS

Hans Janitschek (representante em N. York)
945 Fifth Ave, New York, USA
Tel.: +212-2885716/fax: 212-6289167

New York Self-Healing Study Group
54 Harbour Road, West Port, Connecticut 06088, USA
Tel.: +1-203-222 7002/fax: +1-203-222 7079

Ngalso Self-Healing Study Group
10400 Cherry Ridge rd., Sebastopol, CA 95472, USA
Tel.: +1-707-823 8700

FRANÇA
Association Lama Gangchen pour la Paix Interieur et la Paix Mondial
6 rue Veronese app 306, 75013, Paris, France
Tel.: +33-1-4707701/fax: +33-1-47073449

GRÉCIA
Karuna Chötsok, Lesbos, Greece

Lama Gangchen Medicine Buddha Healing Center
Popliou 18-20, 10436, Athens, Greece
Tel.: +30-1-5237525

HOLANDA
Jangchub Lam
Tivolistraat 26, 5017 HL Tilburg, Holland
Tel.: +31-13-422726/fax: +31-13-5445161

Medicine Buddha Dharma Garden
Bazuinstraat 24, 5802 JV Venray, Holland
Tel./fax: +31-4785-86812

Pentok Lam Chen
Aan De Eppenbeek 10, 6071 BW Swalmen, Holland
Tel.: +31-4740-4303/fax: +31-4740-5342

Sangye Men Lam
Steenstraat 5/7, 8011, Zwolle, Holland
Tel.: +31-38-229151/229302

Shide Lam
Waalstraat 44D, 1078, Amsterdam, Holland
Tel.: +31-20-6734615/fax: +31-20-6648871

ÍNDIA

Lama Gangchen International Foundation
A – 15 Paryavaran Comlex, Saidulajaib, 110030, New Delhi, India. Tel.: +91-11-6865084/fax: +91-11-6967514

Para contato em Nova Delhi:
N-230 Greater Kailash 1, New Delhi, India
Tel.: +91-11-6425897

Gangchen Chöpel House-Kailashpura Monastery, Mysore, Sul da Índia

Gangchen Kachoe Drupkhang Retreat Centre
Merik Post Dist., Darjeeling, India

Gangchen Thubten Kang-Ri Con, Gangtok, Sikkim, India

INGLATERRA

Medicine Buddha Dharma Sangha
9 Stanley str., Ulverston, Cumbria, England
Tel: +44-229-585572/info: +44-229-580055

Self Healing Study Group
Mayfield, Clyst street, Lawrence, Exeter EX15 2NJ, England
Tel.: +44-1404-822872

Self Healing Study Group
Waye House, Alstron Cross, Ashburton, Devon TQ 13 7ET, England. Tel./fax: +44-1364-652114

Tashi
1 Trinity Church Hall, The Gill, Ulverston, Cumbria, LA12 7BJ, England. Tel.: +44-1229-586959/fax: +44-1229-588804

ITÁLIA

Kunpen Lama Gangchen Institute for the Propagation of the Tibetan Medical Tradition (Central Office)
Via Marco Polo 13, 20124, Milan, Italy
Tel.: +39-2-6597458/fax: +39-2-29010271

Lama Gangchen World Peace Foundation (Central Office)
Via Marco Polo 13, 20124, Milan, Italy
Tel./fax: +39-2-6554711 – e-mail: klg@micronet.it

Lama Gangchen World Peace Services (Central Office)
Via Marco Polo 13, 20124, Milan, Italy
Tel.: +39-2-29010263/fax: +39-2-29010271
e-mail: gangchen@micronet.it

Albagnano Meditation Healing Center
Albagnano di Bée, 28813, Verbania, Italy
Tel.: 0039 - 0232-569601/0039 - 0323-56224/fax: (0323) 569921
e-mail: peaceaction@libero.it/www.peacenvironment.net

Centro Buddha della Medicina
Via Cenischia 13, 10239, Torino, Italy
Tel.: +39-11-3241650

Detchen Ling
Pallanza (NO), Italy
Tel.: +39-323-557285

Gangchen Phende – Lamton
Alessandria, Italy
Tel.: +39-131-231838

Jang Chub Lam (Gruppo di Studio di Autoguarigione)
Via Palermo 42, Padova, Italy
Tel.: +39-49-8761513

Lama Gangchen Inner Peace Development Centre
(Healing and Retreat Centre)
c/o LGWPS. Tel.: +39-2-29010263/fax: +39-2-29010271
e-mail: gangchen@micronet.it

Om Shanti
Cisternino (BR), Italy
Tel.: +39-80-716093

Shide Chopel
Via Sorcinelli 15, 74100, Taranto, Italy
Tel.: +39-99-7324967

Shide Self-Healing Study Group
Via S. Petronio Vecchio 11, 40125, Bologna, Italy
Tel.: +39-51-227123

Spring of Dharma
00049 Colle Santa Maria 19, Velletri (Roma), Italy
Tel.: +39-6-96453464

Tekchok Men Choepel Ling
Cuneo, Italy
Tel.: +39-173-797025

MALÁSIA

Medicine Buddha Center
260 F 2, segundo andar, Jalan Ipho, Batu 2 1/2,
51200 Kuala Lumpur, Malaysia
Tel.: +6-034431262/fax: +6-03-4432133

MONGÓLIA

Chenpo Hor Chöpel Ling, Ulan Bator, Mongolia

NEPAL
Gangchen Labrang Medical & Retreat Centres
P.O. Box 804, Kathmandu, Nepal
Tel.: +977-1-471266/fax: 470525

Shakti Himalayan Healing Centre
Boudha, Tinchuli, Kathmandu, P.O. Box 2523
Tel.: +977-1-477126
(Secretário: Tsetan Gyurme – tel.: +977-1-470473/ fax: +977-1-470525

RÚSSIA
Medicine Buddha Healing Center
Akademica Anohina 6-301-2, Moskow, Russia
Tel.: 007-096-430 9192

SUÍÇA
Inner Peace Centre
Freudwil, CH 8615, Switzerland
Tel.: +41-1-9412912

Ngalso Self-Healing Study Group
Geneva, Switzerland
Tel.: +41-22-7562330

Ngalso Self-Healing Study Group
Krummenlandstrasse 23, 5107, Shinznach Dorf, Switzerland
Tel.: +41-56-4432730/fax: +41-56-4433388

TAILÂNDIA
Environment of Peace for the Safety of Physical and Mental Energies
Hua Hin, Thailand
Tel./fax: +66-32-515511

TIBETE
Gangchen Chöpel Monastery, Shigatse, Tibet

TURQUIA
Self-Healing Study Group
Cumhuryiet Cad N. 257/3, 80230 Harbiye, Istambul, Turkey
Tel.: +91-212-248 4864/fax: +91-212-230 3697

NgelSo – Autocura Tântrica II

Autocura Tântrica do corpo e da mente,
um método para transformarmos este mundo em Shambala

NgelSo – Autocura Tântrica II, escrito pelo Lama Gangchen Rimpoche é um livro que descreve e comenta a prática de meditação Autocura Tântrica II: um método elaborado pelo autor que usa mantras, mudras, visualizações e concentrações baseadas nos ensinamentos do budismo tibetano tântrico. O objetivo dessa prática é ajudar o leitor a se recuperar, gradativamente, de diferentes males físicos e mentais e desenvolver a energia espiritual no cotidiano.

Segundo o Lama Gangchen, não é preciso ser budista para colocar em prática os ensinamentos descritos no livro, pois os Tantras se referem a experiências universais do ser humano, potencialmente acessíveis a todos.

Viagem Interior ao Tibete

Acompanhando os Mestres do Budismo Tibetano
Lama Gangchen Rimpoche e Lama Michel Rimpoche

Viagem Interior ao Tibete narra uma viagem de 25 dias que se inicia em São Paulo rumo ao Tibete, passando por Katmandu, Lhasa, Shigatse e Gangchen.

Bel Cesar viajou com um grupo acompanhando seu filho, Lama Michel Rimpoche, e seu mestre, Lama Gangchen Rimpoche, narrou na forma de um diário sua estadia no Tibete, a inauguração do Monastério de Lama Gangchen Rimpoche e o dia-a-dia visitando as inúmeras relíquias de conhecimento espiritual que o Tibete e o Budismo oferecem.

Impressão e Acabamento
Bartira
Gráfica
(011) 4123-0255